BONNE PÊCHE
AVEC JOCELYN LAPOINTE

Éditeur:
LES ÉDITIONS LA PRESSE (1986)

Conception graphique de la couverture:
Katherine Sapon

Photographies de la couverture et des pages intérieures:
Paul Charbonneau
Michel Foisy
Jocelyn Lapointe

Illustrations de la maquette intérieure:
Francine Fournier
Bertrand Lachance

Les auteurs remercient M. Ghislain Caron,
M. A. en psychologie de l'éducation, pour
ses précieux conseils orthographiques,
linguistiques et syntaxiques.

Pour le Canada:
Agence de distribution populaire inc.
(Filiale de Sogides Ltée)
955, rue Amherst, Montréal H2L 3K4
(tél.: 514-523-1182)
Télécopieur: (514) 521-4434

JOCELYN LAPOINTE • MICHEL FOISY

BONNE PÊCHE
AVEC JOCELYN LAPOINTE

éditions
la presse

LES ÉDITIONS
INVI

Données de catalogage avant publication (Canada)

Lapointe, Jocelyn

    Bonne pêche avec Jocelyn Lapointe

    Bibliogr.: p.

    ISBN 2-89043-994-1

    1. Pêche sportive.   I. Foisy, Michel.   II. Titre

    SH443.L36   1989   799.1   C89-096217-0

Dépôt légal:
BIBLIOTHÈQUE NATIONALE DU QUÉBEC
2e trimestre 1989

ISBN 2-89043-994-1

À nos compagnes,
Ghislaine et Manon,
et à nos enfants,
Jonathan et Marie-Ève.

Préface

La pêche est certes l'un des sports les plus populaires au Canada. Au Québec on compte environ 1 500 000 amateurs de pêche. Aux disciples de saint Pierre, friands de toutes les nouveautés dans ce domaine, ce livre permettra non seulement d'approfondir certaines techniques, mais aussi d'en connaître de nouvelles.

Jocelyn Lapointe n'est pas un nouveau venu: pêcheur d'expérience, vainqueur de plusieurs tournois professionnels, il a parcouru le Québec et le Canada. On peut le voir régulièrement au petit écran; ses conseils et son dynamisme ont fait de lui un chroniqueur fort apprécié. Son compagnon de pêche, Michel Foisy, spécialiste de la pêche à la mouche, est le coauteur de cet ouvrage. C'est donc avec fierté que nous offrons ce livre à tous les amateurs de pêche, en souhaitant qu'il leur rende service.

Bonne pêche!
Roger Fortier

Les auteurs ont tenu à ce que les noms des espèces de poissons, d'insectes et d'animaux en général commencent par une majuscule pour une meilleure compréhension du texte.

Introduction

De l'union de nos efforts et de nos expériences, tant dans le domaine de la pêche que dans celui de la pédagogie, est né un outil indispensable dont vous profiterez à loisir. Notre approche scientifique et didactique de la pêche en fait un ouvrage de référence.

Nous sommes convaincus que *Bonne Pêche avec Jocelyn Lapointe* apporte de nombreuses précisions sur les meilleures techniques dans le domaine! Il constitue une source unique d'informations et un guide pratique pour tous les pêcheurs.

L'immensité de son territoire fait du Québec l'un des plus grands aquariums au monde! Pas étonnant que la pêche, avec près de 1 500 000 amateurs, soit une activité de plein air des plus populaires.

Les 10 espèces de poissons dont nous traitons ici sont les plus prisées des pêcheurs québécois. Voici, pour répondre à vos attentes, la description physique, celles des mœurs et des habitudes alimentaires de ces différents poissons; nous parlerons aussi du record mondial de la plus grosse prise de chaque espèce, des leurres, des appâts et des mouches artificielles les plus efficaces, ainsi que de l'équipement de pêche requis pour améliorer vos chances de capture. Nous vous révélerons aussi les structures idéales où retrouver vos espèces favorites et vous conterons de «savoureuses» aventures de pêche.

Nous vous dévoilerons aussi plus de mille et un trucs, et même certaines méthodes de pêche gardées jusqu'ici secrètes.

Bonne pêche!

Les auteurs,
Michel Foisy, Jocelyn Lapointe.

Le Maskinongé
Esox masquinongy (Mitchill)

Description

Connu pour son agressivité et sa combativité, le «Muskie» est un poisson carnivore. Il s'attaque à l'Éperlan, à la Perchaude, à la Carpe, à l'Achigan, au petit Doré, ainsi qu'à plusieurs autres espèces, comme le Cisco et le poisson blanc. Ce «tigre» d'eau douce happe aussi à l'occasion un Canard, un Vison ou un Rat musqué.

Le record mondial

Le Maskinongé peut atteindre une taille impressionnante. Ainsi, dans le fleuve Saint-Laurent, en Ontario, une magnifique pièce de 31,7 kg (69 lb 15 oz) fut capturée par M. Art Lawton, en septembre 1957. Plus près de nous, au Québec, un «Muskie» a déjà fait osciller la balance jusqu'à 23,6 kg (52 lb). Cependant, les prises sont habituellement de l'ordre de 4 à 9 kg (de 10 à 20 lb).

Le Maskinongé est un animal légendaire. On le considère souvent comme un monstre mythologique revenu dans les lacs et les rivières pour les hanter! Mais une part de vérité ne se cache-t-elle pas derrière chaque légende? On a vu des cannes se briser en deux, du monobrin d'au moins 9 kg (20 lb) de résistance éclater sous la forte tension exercée par ce monstre, des avançons métalliques déchiquetés! Bien des récits de batailles légendaires livrées à ce fantastique poisson font partie de la réalité vécue par certains pêcheurs.

La nature du «Muskie»

Ce fougueux poisson habite plusieurs plans d'eau au Québec. Cependant, je m'attarderai spécialement ici à la rivière des Mille-Îles, où j'ai fait des captures appréciables. Examinons d'abord l'apparence physique du Maskinongé: Sa robe montre des marques sombres sur un fond pâle. «Chez le Maskinongé adulte, le dos, la tête et les flancs s'irradient et vont de l'or vert au brun pâle. Les flancs vont du vert brunâtre à l'or vert, gris ou très argenté», selon les biologistes du Service de la faune de Montréal. Les Maskinongés se reproduisent au printemps.

Le Maskinongé chasse volontiers à l'affût et peut ainsi tromper sa proie. Se dissimulant agilement près des herbiers situés non loin des battures de roches, il attaque farouchement sa victime et l'avale tête première.

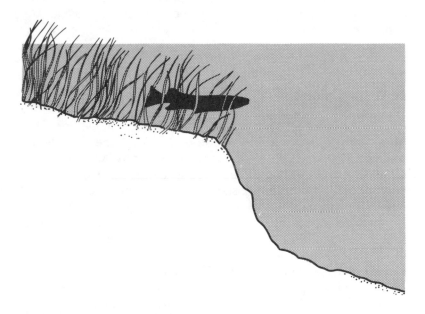

Le Maskinongé aime bien se camoufler dans les herbiers, près des profondeurs, pour surprendre ses proies. Le pêcheur aguerri sait tirer profit des habitudes de ce prédateur.

Attention, le «Muskie» ne se laissera pas facilement déjouer par un leurre qui ne lui rappellerait pas la faune aquatique dont il se nourrit!

Pour capturer un spécimen, il faut être prêt à attendre plus de cent heures! Cependant, il y a toujours des exceptions à la règle: La méthode efficace que j'emploie depuis une dizaine d'années a donné d'excellents résultats.

Aventure de pêche

L'occasion de capturer de gros Maskinongés se présentait. Avide, comme tout bon pêcheur, de ferrer de gros spécimens, je décidai donc de passer une journée d'automne sur la rivière des Mille-Îles. Couleurs des feuilles, air frais, ciel nuageux: rien de mieux pour aller taquiner le «tigre» de nos eaux. Je tiens à préciser que la partie de la rivière des Mille-Îles située près du pont de Saint-Eustache et les îles avoisinant l'autoroute 13 sont mes endroits de prédilection. Une visite vous révélera pourquoi.

Ce jour-là, le thermomètre marquait 7 °C (45 °F). Inutile d'insister sur l'importance de se vêtir chaudement lorsqu'on pêche en octobre. Une «tuque» de laine, un anorak bien doublé, des bas de laine et de chaudes bottes de cuir à l'épreuve de l'eau rendront votre journée de pêche agréable.

Une excellente méthode pour capturer de gros Maskinongés consiste à effectuer de fréquents lancers vers les contrecourants, près des arbres morts, des roches, des herbiers, et surtout dans les endroits où le débit de l'eau s'accentue. C'est là que le «Muskie» se nourrit, sans pour autant y habiter. C'est là qu'il faut concentrer vos efforts, et un jour, le «Muskie» de vos rêves s'attaquera à votre leurre. Pêchez avec une canne à lancer léger de 1,5 à 2 m (de 5 à 6 pi) de longueur. Depuis la venue du graphite, les cannes sont devenues beaucoup plus légères et, à mon avis, la capture d'une pièce de 4 à 9 kg (de 10 à 20 lb) avec une canne en graphite à action moyenne doublera votre plaisir.

Canne et moulinet à lancer lourd

En ce qui a trait au moulinet, un modèle à lancer lourd à récupération rapide, du genre «Speed Master» de Shimano, est l'article rêvé. Un monobrin de 6,5 à 7,5 kg (de 15 à 17 lb) de résistance suffit.

Le choix de leurres qui s'offre aux pêcheurs est si vaste qu'il en est parfois décourageant. Personnellement, je m'en tiens aux leurres suivants: le «Nil Master» cassé, de couleur brunâtre, le «Swim Wiss» et le «Jerkbait». Il est évident que, fidèle aux appâts qui m'ont porté fruit, j'en néglige certains autres.

Presque au bout de ma course, je continuais de répéter sans cesse mes lancers avec le «Jerkbait». Celui-ci, fait d'un bout de bois de 25 cm (10 po) de longueur, une «bavette» d'acier fixée sur l'une des extrémités, provoque et excite le Maskinongé grâce aux vibrations qu'il produit. Ce leurre, que l'on ramène par secousses brusques, doit plonger dans l'eau entre 60 et 150 cm (2 et 5 pi).

Tout à coup, je vis surgir de l'eau une superbe pièce qui se jeta, bouche ouverte, sur mon leurre. Je ferrai violemment! En moins de deux, à la vitesse de l'éclair, je le vis bondir hors de l'eau. La sensation que j'éprouvai était sans égale. Lorsqu'un

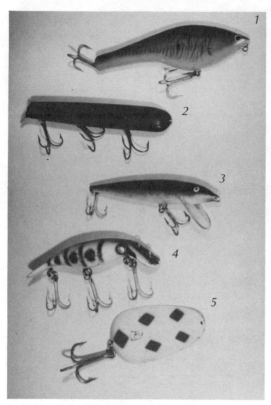

1. Le «Jerkbait»; 2. Le «Suick»; 3. le «Rapala»; 4. Le «Swim Wiss»; 5. La «Dardevl».

«Muskie» est ferré, il saute pour se débarrasser de l'appât qui le gêne. Ensuite, il file comme un bolide sous votre embarcation. À ce moment précis, ferrez-le à nouveau pour plus de sécurité. Quand il voit le bateau, il fonce vers le fond de l'eau. Ajustez votre tension, sinon... adieu trophée!

J'étais épuisé, à bout de force; mais après une lutte acharnée d'une dizaine de minutes, une pièce imposante de plus de 6 kg (15 lb) vint se débattre au fond de mon épuisette.

De plus en plus, au Québec, on pratique la remise à l'eau de certaines espèces de poissons. Fervent de cette pratique, je vous suggère de procéder de la façon suivante pour remettre

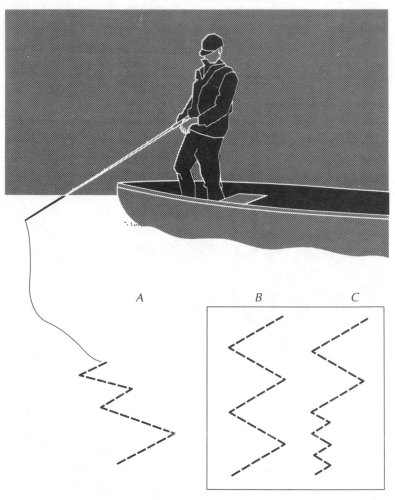

Observez le mouvement provocateur irrégulier que produit le «Jerkbait»(A). Ramené par saccades régulières (B) ou irrégulières (C), ce leurre imite un poisson blessé.

une prise en liberté. Un pêcheur tient la queue du poisson tandis que l'autre, à l'aide de pinces, décroche l'hameçon de la bouche du Maskinongé. Attention! Vous risquez de vous blesser à la main et aux doigts si vous ne vous servez pas de lon-

Jocelyn Lapointe avec un magnifique Maskinongé

gues pinces pour libérer le poisson, et ces blessures peuvent être dangereuses.

La croyance populaire veut que le Maskinongé attaque le pêcheur avec ses dents. Cette assertion est erronée. Les blessures se produisent, dans 99 p. 100 des cas, lorsque le pêcheur tente, avec ses mains nues, de dégager le trépied acéré de la bouche du «tigre». Bien sûr, ses dents sont coupantes!

Si vous désirez conserver le poisson capturé dans les eaux du fleuve Saint-Laurent, il faut le mesurer. Notons que seuls les Maskinongés mesurant 1 m (39 po) de longueur peuvent être conservés par les pêcheurs. Les prises inférieures à cette dimension doivent être remises en liberté. Il serait utile de vérifier les règlements du ministère du Loisir, de la Chasse et de la Pêche (MLCP) à ce sujet.

Après quelques heures passées au grand air à faire des centaines de lancers, la fatigue s'installe. Je décidai donc, pour reposer mon bras, d'utiliser une méthode qui a fait ses preuves: la pêche à la traîne avec, comme appât, un gros leurre. Les îles situées près de l'autoroute 13 sont le gîte favori des Maskinongés. À certains endroits, des fosses de 8 m (25 pi) servent de repaire aux gros «Muskies» qui vont s'y reposer.

Un fond rocheux parsemé d'herbes m'incita à armer ma canne avec le fameux «Swim Wiss». Lorsque vous pêchez à la traîne, les «Jerkbait» et les «Crainkbait» sont aussi très efficaces. Ces devons plongeurs leurrent souvent les gros Maskinongés qui nagent en suspension dans l'eau.

J'étais bien décidé à en capturer un autre même si les chances étaient minces. J'avais déroulé le monobrin de mon moulinet d'au moins 30 m (100 pi). À cette distance, lorsqu'on ferre une grosse pièce, la tension imprimée à la canne est tellement puissante qu'on croirait tirer un gros billot!

Ce jour-là, j'avais peine à croire que j'allais en prendre un deuxième... Eh bien oui! Après moins d'une heure de pêche à la traîne, remontant le courant avec mon embarcation de 5 m (16 pi) munie d'un moteur de 25 CV, une violente secousse m'avertit qu'un gros prédateur mordait à l'appât.

Vivement, j'éteignis le moteur et la bataille s'engagea. Comme un clown délirant, ce poisson offrait un spectacle ahurissant: des cabrioles, des sauts en hauteur dignes d'un athlète olympique! Puis, sans avertissement, il fonça sur mon bateau. Je devais récupérer à la vitesse de l'éclair pour ne pas le perdre. Je le sentais fort, puissant! Aucun doute dans mon esprit: je devais le capturer. Fébrile, je glissai habilement dans mon épuisette ce Maskinongé qui allait rester gravé éternellement dans ma mémoire de pêcheur: un trophée de plus de 15 kg (35 lb) et de 1,20 m (48 po) de longueur!

Le Maskinongé, le plus grand poisson d'eau douce du Québec après l'Esturgeon, est d'après mon expérience le poisson le moins convoité et le plus combatif, exception faite du Saumon Atlantique.

Les meilleurs sites

En plus de la rivière des Mille-Îles où je capture quelques Maskinongés par an, le lac Saint-Louis, le lac des Deux-Montagnes et le lac Maskinongé à Saint-Gabriel de Brandon, dans le comté de Berthier, sont les meilleurs endroits pour capturer cette espèce. Le fleuve Saint-Laurent entre Montréal et Québec et les lacs Tremblant et Nominingue, tous deux ensemencés, recèlent de beaux spécimens.

Enfin, le lac Saint-François, où des «monstres» de 18 kg (40 lb) sont pensionnaires, est considéré comme un des meilleurs réservoirs à Maskinongés au Canada.

Emplacement des structures

Lorsqu'on veut capturer du Maskinongé, il faut connaître les structures et mettre au point les méthodes qui vont assurer le succès de notre pêche. Je vous décris ci-dessous les structures que tout bon pêcheur devrait explorer avec attention.

Les pointes

Les pointes sont des structures qui attirent le «Muskie» toute l'année. La présence de roches et de plantes augmente le potentiel de la fosse. Pêchez à la traîne à l'extrémité de la pointe. Les leurres «Jerkbait» et «Bucktail-spinner» lancés dans la section intérieure sont susceptibles de produire des résultats.

Le plateau

Le Maskinongé a tendance à se déplacer face au plateau, en suspension, là où il guette sa proie. Habituellement, un plateau couvert de plantes et de formations rocheuses très accidentées mérite que l'on s'y attarde.

La lisière de végétation aquatique

Toute l'année, le «Muskie» est attiré par la lisière de végétation aquatique, car la végétation est saine. C'est le signe d'une oxygénation plus grande et surtout de l'abondance de nourriture.

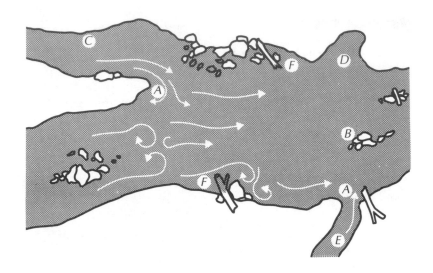

Voici une situation de rivière où il est possible de retrouver le «tigre» d'eau douce: (A) les pointes; (B) les plateaux; (C) les lisières de végétation aquatique; (D) les baies peu profondes; (E) les petits ruisseaux; (F) tous les autres obstacles (roches, troncs d'arbres, branches, etc.).

La baie peu profonde

Avec ses arbres morts, ses nénuphars et sa variété de plantes aquatiques, la baie peu profonde abrite souvent de belles pièces.

Finalement, les ruisseaux et les petites rivières, les plans d'eau compris entre deux îles et les endroits où il y a du courant sont privilégiés par maître «Muskie». Tentez-y votre chance!

Les leurres

Il y a plusieurs catégories de leurres: la dandinette, l'attirail à méné, le «Spinner», le «Jerkbait» et le devon plongeur.

24

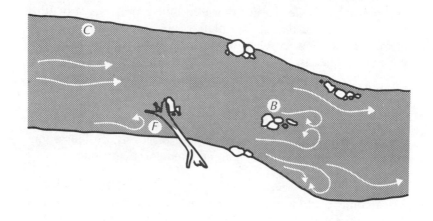

La dandinette

Lorsque vous pêchez en bordure des herbiers, la dandi-nette de 2,5 à 7,5 cm (de 1 à 3 po) de longueur, ramenée en saccades, est très efficace!

L'attirail à méné

L'attirail à méné permet de piquer un hameçon dans la lèvre d'une petite carpe et de lui en piquer un autre dans le dos près de la queue. Ce procédé, très efficace en fin de saison, sert à capturer le Maskinongé qui chasse près des structures. Taqui-nez-le à la traîne.

Le «spinner»

Il existe deux modèles de «spinner»: le «Bucktail-spinner» et le «Spinnerbait». Ce dernier doit être utilisé près des structures accidentées et au-dessus des plantes aquatiques, alors que le premier se ramène, en ligne droite, vers le bateau. Je vous conseille une cuiller argentée en eau claire et limpide.

Le «Jerkbait»

Malgré son apparence bizarre, le «Jerkbait» est très efficace. En lui imprimant de légères secousses, vous le rendrez très provocateur. Utilisé dans des endroits peu profonds, ce leurre, qui imite un méné blessé, excite particulièrement le «Muskie».

Le devon plongeur

Argenté ou blanc, d'une grosseur de 15 à 40 cm (de 6 à 15 po), le devon plongeur doit être employé pour pêcher à la traîne au-dessus des plantes et des hauts-fonds.

Il est très émouvant de remettre une grosse pièce en liberté. C'est un geste gratuit! La conscience collective québécoise semble de plus en plus sensible à ce geste. N'attendons pas avant d'agir que l'espèce disparaisse à tout jamais. Quel pêcheur ne s'est pas révolté en se rendant compte qu'un lac, jadis productif, est devenu un repaire de ménés! Croyez-moi: On se rappelle toujours le premier Maskinongé auquel on a rendu la liberté.

Conseils

La rivière des Mille-Îles, le lac des Deux-Montagnes et le lac Saint-Louis abondent en poissons, entre autres en Maskinongés.

Pêchez près des obstacles tels les arbres morts et les grosses roches. Ne ratez pas l'occasion de capturer une belle pièce en pêchant là où les structures sous-marines provoquent une augmentation du débit d'eau.

Une canne de graphite de 1,50 à 1,80 m (de 5 à 6 pi) à laquelle vous aurez fixé un moulinet à lancer lourd, un monobrin de 7 à 7,5 kg (de 15 à 17 lb) de résistance et un «Jerkbait» ou un «Swim Wiss» vous permettront assurément de ferrer un «Muskie».

Le Doré
Stizostedion vitreum (Mitchill)

Description

S'il existe un poisson recherché pour son goût raffiné et sa combativité, c'est bien le Doré. Préparé en filets, ce délice pour le palais fait l'envie de milliers de pêcheurs gastronomes. Le Doré se trouve seulement en eau douce. Au Québec, on le retrouve dans les tributaires du fleuve Saint-Laurent, en aval jusqu'à la rivière Manicouagan, vers le nord jusque dans les rivières tributaires de la côte Est de la baie James. Son apparition dans nos eaux provient probablement du lac glaciaire Barlow-Ojibway et de ses nombreux cours d'eau de sortie, notent les auteurs Scott et Crossman.

Habituellement, le Doré fraye après la fonte des glaces, c'est-à-dire du début d'avril jusqu'à la fin de juin. L'hiver, sa grande activité le rend plus vulnérable.

Ce poisson lucifuge, de la famille des Percidés, aime à se retrouver dans des eaux peu profondes et turbides. Il s'alimente de préférence au demi-jour et à la grande obscurité: Son œil, extrêmement sensible, fonctionne lorsque la luminosité est très réduite. C'est pourquoi le Doré souffre de phototropisme visuel.

Ce poisson carnivore et cannibale s'attaque à ses propres rejetons s'il ne peut trouver de jeunes Perchaudes ou du poisson-fourrage. Des Dorés adultes se nourrissent presque exclusivement, en certaines époques de l'année, de Phryganes. Avis aux moucheurs! Ils ne dédaignent pas la Malachigan, les Ciscos, les Meuniers, le Crapet, l'Achigan et plusieurs autres espèces.

Le record mondial

Le plus gros Doré jaune a été capturé par Mabry Hickory, au Tennessee. Son poids: 11,34 kg (25 lb); sa taille: 1,41 m (41 po) de longueur et 73,7 cm (29 po) de circonférence.

Sa coloration

La coloration du Doré varie selon son habitat. Notons qu'en eau turbide sa robe est plus pâle et ses motifs noirs, moins marqués, tandis qu'en eau claire ceux-ci sont plus nets. Ses couleurs de fond vont généralement du brun olive au jaune. Sa tête de même que son dos sont foncés, tandis que ses flancs sont plus pâles. Enfin, son ventre tire sur le blanc lait ou sur le blanc jaune. Quant au Doré noir, il se distingue par une rangée de taches noires au-dessus de la nageoire dorsale. Le Doré bleu est inexistant au Québec. La teinte bleutée que l'on retrouve chez certains individus ne dépasse par l'épaisseur du mucus et n'est pas un signe d'appartenance à la famille des *Stizostedion vitreum glaucum* (Doré bleu).

L'équipement

Pour la pêche au Doré jaune, je vous suggère d'utiliser une canne d'un seul brin à action rigide, d'une longueur de 1 à 2 m (de 5 à 6 pi). Pourquoi? Parce que le cartilage de la bouche du Doré est très épais. Cette canne devra être ferme pour permettre à l'hameçon de transpercer, au moindre ferrage, sa mâchoire. De plus, pour la pêche au lancer léger, je conseille un moulinet avec un système de freinage arrière. Lorsque vous ferrez le Doré et que la pièce est imposante, il est utile de pouvoir, rapidement et d'un simple mouvement du doigt, rajuster votre tension. Certains moulinets conventionnels ne possèdent pas cette caractéristique importante.

Quant à l'équipement prévu pour la pêche à la traîne, un moulinet de lancer lourd de récupération rapide est recom-

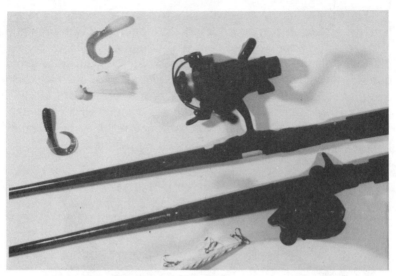

Cannes à lancer léger et à lancer lourd

mandé. Ces moulinets conçus avec un système de magnétisme évitent les éternelles perruques que l'on connaissait il y a quelques années.

Lorsque vous pêchez le Doré sur un plan d'eau important, je vous suggère d'utiliser un moteur puissant. Cela facilite les déplacements rapides lorsque votre «hôte» ne veut pas coopérer. Si votre embarcation est munie en plus d'un moteur électrique, vous la contrôlerez plus facilement; ce dernier étant très souple et peu bruyant, il n'effraiera pas le Doré lorsque vous pêcherez dans les zones peu profondes.

L'étude d'un plan d'eau

Lorsque nous pêchons le Doré sur un lac qui ne nous est pas familier, plusieurs questions nous viennent à l'esprit. La plus importante est la suivante: où vais-je pêcher aujourd'hui? Pour y répondre, notons que le Doré est un poisson grégaire, c'est-à-dire que son instinct le pousse à vivre en groupe.

En premier lieu, je vous conseille les emplacements qui recèlent des changements brusques de profondeur. Contrairement à la croyance populaire qui veut que la partie la plus profonde d'un lac se situe en son milieu, vous constaterez sur le schéma que des îles sous-marines existent en plein centre des lacs. Ces endroits sont ordinairement rocheux et très propices à la capture du Doré jaune. De plus, les pointes à fond dur à proximité des profondeurs, où le fond est sablonneux et rocheux, sont plus poissonneuses. Si vous les passez au peigne fin, les résultats ne tarderont pas.

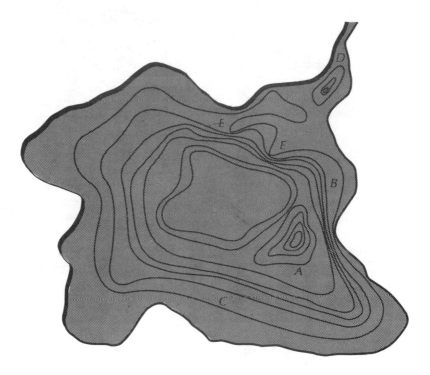

Il est conseillé, avant de partir en excursion de pêche, de noter sur une carte bathymétrique les différents endroits propices à la capture du Doré: (A) les îles sous-marines; (B) les pointes à proximité des profondeurs; (C) les herbiers denses; (D) les embouchures de lac; (E) les pointes sous-marines que l'on détecte à l'aide d'un appareil sonar.

Voici d'autres endroits qu'il ne faut pas négliger. Le long des herbiers denses et submergés, où le Doré s'alimente et se cache, on en trouve souvent. À l'embouchure d'un lac, le Doré se plaît à évoluer dans le courant léger. Si le courant semble fort, le poisson y nagera en bordure. De plus, le pied des rapides, où l'eau est très oxygénée, les amas de roches et les piliers de ponts constituent des coins à ne pas écarter. Notez que plus les piliers sont vieux, plus il semble que la pêche se révèle favorable!

Aventure de pêche

La réserve faunique de La Vérendrye, située à quelque 350 km au nord de Montréal, est sans contredit l'endroit de prédilection pour capturer du beau Doré. Le réservoir Cabonga, le lac Carrière et enfin le réservoir Dozois constituent un réseau de plans d'eau reconnu par des milliers de pêcheurs.

Cette immense réserve offre aux pêcheurs des possibilités d'hébergement. Le Domaine, géré par la Société d'établissements de plein air du Québec (SÉPAQ), vous offre la possibilité de séjourner dans un chalet durant votre excursion de pêche.

Des sites de camping sont aussi aménagés à plusieurs endroits.

Fervent de la nature et avide de découvertes, j'ai organisé récemment une partie de pêche avec quelques amis. Nous connaissions un mois de juin superbe et ensoleillé. Le camping sauvage permet un retour à la nature et, de l'avis de tous ses adeptes, c'est une source régénératrice extraordinaire. La philosophie qui anime cette activité de plein air permet aux adeptes de mieux communier avec la nature.

Après quelques heures de route, nous sommes arrivés au site que nous convoitions depuis déjà plusieurs mois. L'air sentait bon et les clameurs de la ville s'estompaient pour faire place aux chants mélodieux des oiseaux.

Après l'installation de nos tentes, nous nous sommes retrouvés autour d'un feu de camp. Quelques accords de guitare et nous sommes allés nous installer confortablement dans nos sacs de couchage en rêvant aux gros poissons que nous réservait la pêche du lendemain.

Après un copieux déjeuner au grand air, deux équipes de pêcheurs se sont formées, non sans taquineries amicales... Avec mon compagnon, je décidai d'aller pêcher au réservoir Cabonga.

Dès notre arrivée sur ce superbe plan d'eau, je me fis un devoir de scruter à la loupe la carte bathymétrique du lac. Je vous conseille, lorsque vous pêchez sur un plan d'eau inconnu, de vous procurer à l'avance une carte qui vous en indique les différentes profondeurs. Avec l'aide de ces cartes vous découvrirez les structures idéales.

Après l'étude de notre lac, nous avons décidé de diriger notre embarcation vers les pointes où le vent, ce jour-là, semblait frapper le plus fort. Cet indice météorologique ne doit jamais être négligé. Pendant que nous nous dirigions lentement vers ces pointes, je notais sur le sonar les différentes profondeurs de l'eau: 15... 20... 25... 40... 60 pieds. Puis, soudain, un changement brusque de profondeur: 60... 40... 35... 20... 12 pieds. Cela indiquait qu'une île sous-marine, en plein milieu du lac, abritait probablement une colonie de Dorés.

À l'aide du sonar, je tentai de découvrir la pointe de cette structure sous-marine. Aussitôt la pointe repérée, je lançai une bouée puisque rien à l'œil nu ne pouvait nous orienter. Je jetai l'ancre. Sans perdre de temps, nous effectuâmes des lancers avec une dandinette soit de plastique blanc, soit de poils noirs. Glissons un mot sur la dandinette: rarement utilisé, ce leurre — dont le poids idéal varie entre 7 et 10 g (1/4 et 3/8 oz) — est l'appât idéal pour la capture du Doré. On peut l'agrémenter d'un Ver de terre ou d'une Sangsue que l'on laisse pendre sur toute sa longueur ou bien d'un Vairon, communément appelé Vif, dans les cas où il est permis de l'utiliser.

Je me mis à faire dandiner mon leurre pour exciter le Doré... Rien, le vide! Croyez-moi, la déception était de taille. Il est probable que les rayons du soleil effrayent ce poisson lucifuge même à 3,50 m (12 pi) de profondeur. Je décidai donc de lever l'ancre et de pêcher lentement à la traîne avec ma dandinette autour d'une île sous-marine plus profonde, que j'avais repérée antérieurement. Pendant que nos dandinettes fleuretaient avec le fond à 6 m (20 pi), nous commencions à imprimer à nos leurres de petites secousses pour agacer le méfiant Doré. Rapidement, un Doré avala mon «Jig». La secousse que j'avais ressentie ne ressemblait aucunement à celle d'un «manche de marteau» (expression employée par un copain pour désigner un petit Doré).

À mon ferrage instantané, je sentis une vive opposition. Il faut parfois être poli… comme on dit! Ce Doré-là me livrait une dure bataille. Le Doré est particulièrement vigoureux lorsqu'il se débat au fond de l'eau. Après quelques minutes, une pièce de près de 3 kg (6,5 lb) se débattait dans l'épuisette. Au Québec, des Dorés de cette taille ne sont pas monnaie courante. On serait tenté de penser que je remets tous mes poissons en liberté. Détrompez-vous! Je ne suis pas différent de vous et, à l'idée de cuisiner des filets de ce magnifique Doré, l'eau me montait à la bouche.

Lorsqu'on capture un Doré, c'est inévitable, d'autres prises suivent généralement. C'est ce qui se produisit. Nos dandinettes blanches agaçaient le poisson à un point tel que nos limites de captures furent atteintes en peu de temps. Le grégarisme de ce poisson joue parfois des tours. On est tenté de dépasser ses limites, mais comme on dit dans la publicité: La modération a bien meilleur goût!

Après une pêche vive en émotions, mon compagnon me fit remarquer que nos limites étaient atteintes. Nous n'avions pas eu le temps d'examiner les pointes qui se dessinaient à l'horizon. En faisant démarrer le moteur, mes yeux brillaient de l'espoir d'un lendemain prometteur. Nous avons quitté ce plan d'eau lisse comme un miroir le ventre creux comme des ours au printemps…

J'ai souvent vécu des expériences de pêche inoubliables. Cependant, ce que je préfère, c'est un feu crépitant sur lequel chauffe un poêlon rempli de filets de Dorés fraîchement pêchés et délicatement assaisonnés… Un vrai festin de roi!

La nature nous offre ces joies; pourquoi ne pas en profiter? C'est là, autour d'un feu, que naissent les plus extraordinaires histoires de pêche…

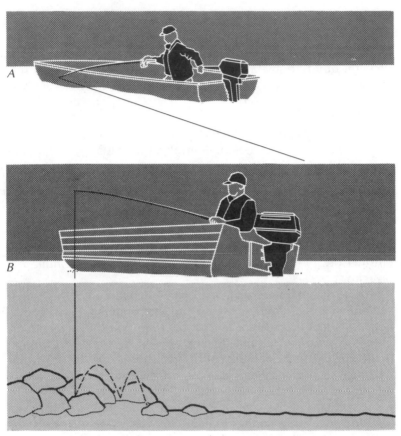

Un excellent moyen pour découvrir le repaire du Doré consiste à traîner lentement (A) une dandinette près du fond, dans un secteur donné. Comme le Doré a un instinct grégaire, après en avoir capturé un ou deux, on suggère de stopper le moteur et de pêcher à la verticale (B).

Revenons un instant en arrière pour expliquer l'usage de l'ensemble dandinette et méné puisque c'est l'une des combinaisons gagnantes de la pêche. En premier lieu, assurez-vous que le leurre est assez lourd pour entrer facilement en contact avec le fond, sans toutefois l'être trop. Ensuite, on observe que plus la saison avance, plus l'activité vitale du poisson diminue; c'est le temps de sortir vos vieilles dandinettes, celles qui ont perdu

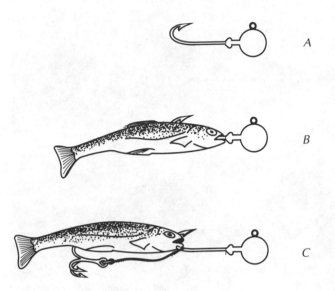

Une dandinette sans couleurs et sans artifices (plastique et plumes) (A) est probablement l'«outil» par excellence pour appâter un Vairon par la bouche (B). Si le Doré devient capricieux et qu'il vous gobe vos ménés, attachez un avançon monté avec un trépied piqué dans le corps du Vairon (C); vous doublerez vos chances!

leurs plumes ou presque... Je simplifie au maximum en piquant un méné mort sur une dandinette toute nue. Oui! Vous avez bien lu. Quoi de plus simple qu'un hameçon, un plomb et un Vairon. De cette façon, je leurre les gros Dorés qui se méfient habituellement de toute action anormale. Tout bon pêcheur, sachez-le, doit connaître les règlements du MLCP concernant l'utilisation du méné comme appât.

Après un succulent repas, au cours duquel nous avons discuté des techniques et des méthodes employées durant la journée, personne ne s'est fait prier pour aller dormir. Les poumons bien oxygénés, le ventre plein, l'esprit rempli d'images positives, on sombre vite dans le sommeil. Il est nécessaire de refaire ses forces: le plein d'air pur et un bain de nature éliminent le stress de la vie moderne.

Combinaison gagnante: «Jig» et Vairon

Le lendemain matin, le temps avait changé. De gros nuages gris couvraient le ciel, et le vent s'était levé. Nous cédâmes notre territoire de la veille à nos compagnons et je proposai d'aller méthodiquement et minutieusement explorer les pointes et les baies qui avaient piqué notre curiosité la veille.

Lorsque vous pêchez à la traîne avec une dandinette, je vous suggère, lorsque le poisson veut mordre à votre leurre, de ne pas ferrer trop rapidement. Contrairement à la pêche à la verticale où l'on doit ferrer au premier coup, la pêche à la traîne exige que l'on laisse le Doré avaler le leurre. Aussi, vous devrez rouler à bas régime, mettre votre moteur au neutre et recommencer souvent.

Donc, nous pêchions à la traîne, à la pointe convoitée la veille. Les yeux rivés sur mon sonar, j'ajustais ma corde à la profondeur requise. Il est impératif de ne pas laisser le leurre au hasard. L'action même de la dandinette consiste à frapper le fond de l'eau, à rebondir, à s'agiter et à provoquer le Doré. Je vous signale que le monofilament a un effet négatif ou positif selon son diamètre. Ainsi, vous aurez de meilleurs résultats si vous utilisez du fil de 1,8 kg (4 lb), 2,7 kg (6 lb), 3,6 kg (8 lb) ou, au maximum, de 4,5 kg (10 lb) de résistance. Ne dépassez pas cette dernière grosseur. Il est inutile d'employer du monobrin de 9 kg (20 lb), par exemple, pour capturer des Dorés d'un kilogramme. J'utilise personnellement une corde de 2,7 kg (6 lb), et cela est suffisant. Le combat entre le poisson et vous sera d'égal à égal, et d'autant plus stimulant que vous utiliserez un fil de faible tension.

Comme nous contournions lentement cette longue pointe de terre, quelques Dorés taquinèrent mon leurre, mais mon impatience ne me fut pas profitable. À la pêche au Doré, la confiance est un atout de premier ordre.

Nous arrivâmes au bout de la pointe, et une immense baie, dans la direction de laquelle soufflait le vent, me redonna confiance. Il était 18 heures et le soleil n'avait presque pas montré le bout du nez de la journée. J'arrêtai le moteur et je laissai le bateau dériver au gré du vent vers le fond de la baie. Là, la profondeur de l'eau atteignait près de 4,50 m (14 pi). Sans avertissement, ma canne plia! Je donnai un peu de mou. Ça mordait à nouveau. Là, je ferrai! La canne s'arqua dans mes mains. C'est en profondeur que le Doré livre ses plus beaux combats. Il cherche à demeurer au fond... Je réglai la tension, il voulait prendre le large... «Wow! J'en ai un gros», dis-je à mon ami qui retira aussitôt sa canne de l'eau.

Je voulais l'épuiser mais c'était lui qui allait m'avoir! Des combats comme celui-là, je n'en avais pas vécu souvent à la pêche au Doré. L'épuisette à la main, le visage tendu, mon copain me prodiguait de précieux conseils. Du monobrin de 2,7 kg (6 lb) de résistance, ça vous invite à la patience! Puis, peu à peu, je sentis le poisson se laisser fébrilement remonter à la surface. Cet imposant spécimen de 3,5 kg (8 lb) pénétra finalement dans l'épuisette. Je ne pouvais traduire ma joie.

Les lacs nordiques ne contiennent pas beaucoup de Dorés de cet ordre. La dandinette me prouvait encore une fois qu'elle est le leurre par excellence pour pêcher ce poisson... comme si c'était une vérité de La Palice.

Les Dorés se laissèrent déjouer à un point tel que notre quota fut atteint en moins de deux heures. On remit, bien vivants, quelques petits Dorés en liberté, en espérant que l'an prochain ils auraient grossi et nous feraient vivre des sensations uniques.

Conseils

Lorsque vous pêchez à la dérive, utilisez une dandinette appropriée à la force du vent et du courant, c'est-à-dire: vent et courant faibles, dandinettes légères; vent et courant forts, leurres lourds. Ajustez votre moteur au régime le plus bas, et de temps à autre mettez-le au point mort. Ceci a pour effet de permettre à la dandinette de toucher le fond et d'exciter le Doré.

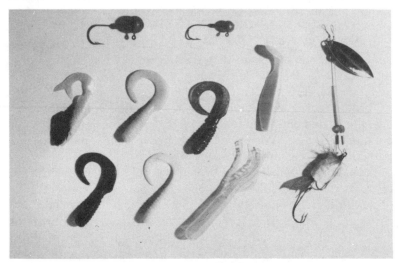

Assortiment de garnitures en plastique pour agrémenter une dandinette et un leurre «Vite-Pris».

Une canne de type lancer léger et un moulinet à récupération rapide sont recommandés. Utilisez du monobrin de 3,5 kg (8 lb) de résistance au maximum.

Lorsque vous aurez repéré soit une structure de fond intéressante, soit une île sous-marine, effectuez des lancers en laissant votre leurre très près du fond et en variant le dandinement. Soyez sur vos gardes: le Doré mordra lorsque vous descendrez le «Jig». La canne à utiliser sera constituée d'un seul brin et aura une longueur de 2 à 3 m (6 à 9 pi). Utilisez un moulinet à lancer léger dont le système de freinage est situé à l'arrière du moulinet, ce qui est d'une grande utilité lorsque vous ferrez un gros Doré.

Les dandinettes blanches, noires, jaunes, orange, et jaune et noir sont les plus efficaces.

Finalement, sans être moralisateur, je vous rappelle que tout bon pêcheur doit respecter les limites prescrites par le MLCP. Pensons à nos enfants qui profiteront de cet héritage.

Le Saumon Atlantique
Salmo salar (Linné)

Description

Baptisé par le Suédois Carl von Linné, au XVIIe siècle, *Salmo salar,* du latin *Salmo,* Saumon et *salar,* «celui qui saute», le Saumon Atlantique jouit sans contredit d'une popularité sans cesse grandissante auprès des pêcheurs québécois.

Son corps est comparable à celui de la Truite; sa robe, en eau salée, se présente comme suit: flancs argentés, ventre blanc et dos brun, vert ou bleu. Cependant, lorsqu'il pénètre en eau douce pour frayer, il perd sa teinte argentée et a tendance à foncer.

Le record mondial

Ce poisson est dit «anadrome» parce qu'il vit dans la mer pour se nourrir et revient dans sa rivière natale pour se reproduire. Remarquons que la longévité du Saumon ne dépasse guère neuf ans. Quant à son poids, un spécimen de 24,9 kg (55 lb) a été capturé dans les eaux de la rivière Grande-Cascapédia. Le plus gros Saumon Atlantique homologué pesait 35,89 kg (79,2 lb). Il fut capturé en 1928 dans la Tana River, en Norvège, par Henrik Henriksen. Le Saumon, grand voyageur, peut parcourir des distances pouvant atteindre 2500 km lorsqu'il retourne en eau salée pour s'alimenter. Imaginez-le sur les côtes du Groënland chassant ses proies préférées, après avoir passé l'été et une partie de l'automne à vivre dans les rivières du Québec.

Précisons que lorsque le Saumon demeure toute sa vie sans aller en mer, nous l'appelons Ouananiche. Il n'y a aucune différence entre les deux poissons, si ce n'est dans la coloration.

Son origine

Selon les auteurs du livre *Saumon Atlantique,* il existe «des preuves de l'existence du Saumon jusqu'à 20 000 ans avant Jésus-Christ. En effet, l'homme de Cromagnon dépendait, entre autres, des Saumons pour se nourrir (...) Plus près de nous, au Québec, c'est vers le milieu du XIXe siècle que la pêche sportive au Saumon a pris plus d'ampleur...» Ailleurs dans l'ouvrage, les auteurs signalent qu'il était apprécié des Gaulois et des Romains.

C'est vers 1950 que des efforts furent accomplis pour «décluber» nos rivières, alors gérées par des Américains fortunés. C'est ainsi qu'aujourd'hui les meilleures rivières à Saumons au monde sont accessibles au grand public. Nous n'avons qu'à penser aux rivières Saint-Jean, Grande-Cascapédia, Patapédia, Matapédia, Matane, Portneuf, Moisie, aux rivières de l'île d'Anticosti et à plusieurs autres qui constituent un réseau aquatique d'une richesse inestimable.

Au Canada, dans les Grands Lacs mais surtout dans le lac Ontario, on a constaté la disparition du Saumon vers 1890, après une exploitation excessive et la construction de plusieurs barrages empêchant le Saumon d'aller frayer dans les nombreux tributaires de cet immense plan d'eau.

La période de frai

La période de frai du *Salmo salar,* dans nos rivières du Québec, s'effectue aux mois d'octobre et de novembre, allant même jusqu'aux premières neiges. En moyenne, une femelle peut pondre environ 1500 œufs par kilogramme de poids corporel.

La femelle choisit un lit de gravier et creuse, avec sa nageoire caudale ou sa queue, un nid où elle déposera ses milliers d'œufs, atteignant de 5 à 7 mm de grosseur. Une fois le nid préparé, le mâle, en parure nuptiale, la mâchoire en forme de crochet, éjacule sa laitance que la femelle couvrira de gravier; la vie naîtra quelque 110 jours plus tard. Ces nouveau-nés (les Castillons) vivront de deux à trois ans dans leur rivière natale, puis descendront vers la mer où ils passeront quelques années pour ensuite revenir d'instinct, peut-être grâce à leur odorat très développé, dans leur rivière natale pour perpétuer l'espèce.

L'équipement

L'équipement de pêche pour capturer le Saumon Atlantique a été, et est encore, l'objet de nombreuses discussions, parfois très vives. Certains puristes fanatiques — et probablement bien nantis — ont pris un malin plaisir à véhiculer l'idée que la pêche au Saumon était réservée à l'élite! Je m'inscris en faux contre ces préjugés sociaux qui, heureusement, tendent à disparaître.

Combien de fois n'ai-je pas vu de mes yeux des pêcheurs dépenser plus de 1000 dollars pour s'équiper! Je respecte leur choix, cependant je veux qu'on respecte le nôtre...! J'ai des amis qui vont taquiner le Saumon une ou deux fois par an avec leur équipement de pêche à la mouche... à Mouchetée et les résultats sont concluants.

Aujourd'hui, les matériaux servant à la fabrication des cannes à mouches ont énormément évolué. Le graphite, ce composé de fibres de rayonne couvert de résine d'époxy, est à mon avis le plus populaire. Ce matériau offre à la canne plus de flexibilité et de légèreté. Il existe aussi le boron, la fibre de verre et le bambou. Nous vous recommandons une canne d'environ 3 m (9,5 pi) de longueur. Quant à la soie, qui existe en différentes grosseurs et différents poids, nous vous recommandons de vous limiter à une soie flottante: elle s'utilise aussi bien avec une mouche noyée qu'avec une mouche sèche.

Après le choix de la canne et de la soie, l'article que le moucheur de Saumons ne doit pas acheter à l'aveuglette est le moulinet. Bien sûr, à la pêche à la Truite Mouchetée, cette pièce d'équipement sert presque exclusivement à contenir la soie. Mais lorsqu'on s'attaque à des proies aussi agressives que les Saumons, cet énoncé ne vaut plus. C'est ici que le système de freinage prend toute son importance. La solidité et la légèreté sont les qualités premières que devra posséder cette pièce d'équipement. Enfin, le bas de ligne que vous utiliserez devra être à fuselage et d'une résistance de 7 à 9 kg (de 15 à 20 lb) depuis l'ouverture de la pêche jusqu'à la mi-juillet et de 3,5 à 4,5 kg (de 8 à 10 lb) de la fin de juillet à la fermeture de la pêche, pour les rivières de la Gaspésie.

Il est certain qu'un bas de ligne que vous aurez monté vous-même à partir de sections de monobrin de différentes résistances serait idéal. Puis, il vous faut tenir compte de la rivière où vous irez pêcher. Ensuite, assurez-vous d'une quantité suffisante, soit de 180 à 275 m (de 200 à 300 verges) de ligne de réserve. C'est primordial.

Autres pièces d'équipement

Viennent ensuite les autres pièces de l'équipement du saumonier, que voici par ordre d'importance. La *veste* sera d'un tissu résistant, avec de nombreuses poches à l'intérieur et à l'extérieur. Les *bottes,* de bonne qualité et munies de feutres antidérapants sous les semelles, vous aideront à circuler dans l'eau en sécurité. Le *serre-queue* est plus pratique et moins encombrant que l'épuisette si vous devez marcher quelques kilomètres en forêt. Les *lunettes à verre polarisé* sont utiles puisqu'elles vous permettent de mieux repérer les Saumons dans les fosses en diminuant l'intensité et les reflets du soleil. Elles protègent aussi les yeux en cas d'accident, lors de lancers malencontreux par exemple. Le *coupe-ongles* est un outil indispensable pour sectionner rapidement l'excédent de monobrin, quand on change de mouche. Le *chapeau* protège le pêcheur contre le soleil, les insectes et certains faux lancers. Plusieurs dizaines de gadgets peuvent compléter l'équipement du pêcheur, mais nous avons voulu nous limiter aux articles les plus importants. Si votre budget est limité, offrez-vous des articles de qualité moyenne. Vos chances de capturer du Saumon ne seront pas diminuées pour autant.

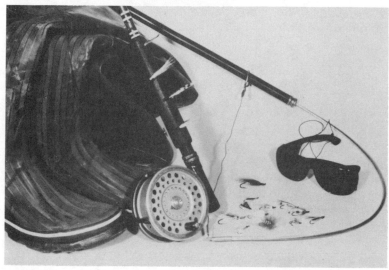

Avec la veste, le serre-queue, les bottes, la canne et le moulinet, un choix de mouches intéressant et des lunettes à verre polarisé forment l'équipement du saumonier.

Les mouches artificielles

Ce qu'il y a de plus passionnant à la pêche à la mouche, qu'il s'agisse de pêche à la Truite Mouchetée ou à l'Achigan, mais surtout au Saumon, c'est de monter ses propres mouches artificielles. Un de mes amis pratique cet art légendaire et il m'a souvent confié combien grande était sa satisfaction lorsqu'il capturait un poisson. Nous avons longuement discuté pour savoir quelles étaient les mouches les plus efficaces.

Sachez d'abord que chaque rivière à Saumons a sa mouche de prédilection. Il serait fastidieux d'énumérer toutes les mouches à utiliser dans chacune des rivières à Saumons du Québec. Pourtant, à discuter avec certains pêcheurs, à la lumière de mes lectures et d'après mes expériences personnelles, je peux avancer qu'une quinzaine de mouches semblent plaire davantage au Saumon Atlantique. La grosseur, la couleur, la forme et l'apparence de ces mouches ont une importance de tout premier ordre. Vous devez constamment avoir à l'esprit ces quatre éléments.

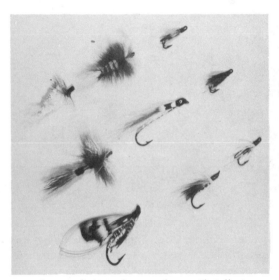

Un choix judicieux de mouches artificielles!

Les mouches qui sont, à mon avis, les plus susceptibles de faire réagir le Saumon sont: la «Black Bear Green Butt», la «Black Dose», la «Blue Charm», la «Lady Amherst», la «Rusty Rat», la «Sylver Rat», la «Magog Smelt», la «Mickey Finn», l'«Oiseau brun», l'«Oiseau blanc», la «Casseboon», la «Sylver Doctor», la «Skunk», la «Black Nose Dace» et la «Green Highlander». Elles

La «Skunk»: Une mouche qui a fait ses preuves.

ont fait leurs preuves entre les mains d'illustres saumoniers à travers la province. Faites-leur confiance! Retenez ce petit conseil: par temps clair utilisez une mouche claire, et par temps sombre, une mouche foncée!

Aventure de pêche

Invité par la Société d'établissements de plein air du Québec (SÉPAQ) pour tourner un film sur la pêche sportive à l'île d'Anticosti, j'acceptai l'invitation, il va sans dire. Ce paradis terrestre du pêcheur et du chasseur fut longtemps réservé aux nantis. Plusieurs Américains venaient y taquiner à loisir notre Saumon. Aujourd'hui, une grande partie de l'île est sous l'égide de la SÉPAQ, et le touriste québécois peut venir pêcher et visiter ce que je considère comme le plus grand «parc safari sauvage» au monde!

Située au centre du golfe du Saint-Laurent, dans l'océan Atlantique, l'île a une superficie de 7 943 km^2 (3 067 mi^2).

Arrivé à Port-Menier, l'unique village de l'île, dont la population atteint 300 habitants, je fus immédiatement séduit par la beauté du paysage et l'accueil de ses habitants. Longtemps propriété du seigneur Henri Menier, qui y introduisit le Cerf de Virginie, cette île allait devenir plus tard la propriété du gouvernement du Québec.

Sur l'île, tout est grandiose: une eau limpide incomparable, une faune terrestre abondante. Plusieurs espèces animales s'y retrouvent, dont le fameux Cerf de Virginie, le Renard, la Gélinotte et le Lièvre. Les chutes Vauréal, d'une rare beauté, et des mammifères marins, comme le Phoque et la Baleine, éblouissent les touristes. La visite de grottes et l'observation de bateaux échoués ou encore la découverte sur les roches de fossiles datant de plusieurs milliers d'années apportent un cachet exotique supplémentaire. Tout invite à passer là un séjour inoubliable! N'oubliez surtout pas votre appareil photographique et vos lunettes d'approche.

Un fait amusant à noter: les habitants de Port-Menier doivent clôturer leurs jardins! Il paraît que le chevreuil adore brouter dans ces emplacements de rêve...

Les superbes chutes Vauréal

Puisque j'allais séjourner dans un chalet situé près de la rivière La Loutre, il me fallut emprunter un chemin en gravier où je pus compter, durant un court trajet, une trentaine de Cerfs de Virginie. Ici, l'animal est roi et maître!

Arrivé au «camp» de pêche — ce chalet était d'un luxe comparable à celui des meilleurs hôtels de la métropole —, mon attention fut attirée par une superbe salle à manger. Les murs ornés de majestueux panaches de chevreuils et d'orignaux ajoutaient au caractère rustique de la pièce. Et l'âtre d'un foyer ancestral rendait encore plus chaleureuse l'atmosphère déjà accueillante des lieux. Une cuisinière et un aide cuisinier, ainsi

50

qu'une serveuse et un guide, tous affables et courtois, avaient été mis à notre disposition. Conçu pour loger une douzaine de pêcheurs, le chalet recevait six personnes, pour une durée de six jours. L'endroit était spacieux et d'une propreté remarquable. Un séjour de ce type correspond au plan familial de villégiature, assorti d'un droit de pêche.

Après un repas copieux, le guide m'expliqua que dans la rivière La Loutre, les Saumons atteignent une grosseur moyenne de 1,5 à 3,5 kg (3 à 8 lb), exceptionnellement de 4,5 kg (10 lb). On ne peut comparer ces Saumons à ceux des rivières de la Gaspésie. Néanmoins, je vais me contenter d'en capturer un, me dis-je en moi-même... Le guide m'indiqua aussi que l'on pêchait dans cette rivière avec des mouches artificielles n° 6, n° 8 ou n° 10, et que l'utilisation d'une canne de 2 à 2,25 m (7 à 7,5 pi) était recommandée.

Le lendemain matin, après un déjeuner complet, je quittai le chalet avec le guide en direction de la fosse qu'on m'avait désignée. À tous les pêcheurs débutants, je conseille l'usage de lunettes à verre polarisé qui permettent de distinguer le Saumon d'un bout de branche, d'une roche ou de tout autre objet.

Lorsqu'on arrive près d'une fosse, il est recommandé de se faire discret. Aussi, je vous propose de porter des vêtements sobres, en harmonie avec le décor ambiant. Ces précautions valent la peine d'être prises si vous ne voulez pas faire fuir les Saumons.

Avec le guide, j'observai très attentivement la fosse: aucune ride ne venait brouiller ce miroir aquatique. Il me montra du bout du doigt quelques beaux spécimens blottis dans le fond, près d'un tronc d'arbre submergé. À la pêche au Saumon, il est primordial de bien «aborder» la fosse. D'abord, il faut s'assurer de toujours avoir le soleil dans le dos et au-dessus de la tête. Deuxièmement, il faut tenir compte du courant. Enfin, votre mouche doit dériver tout à fait librement: vous ne devez imprimer aucune tension à votre soie. La vitesse de déplacement de votre mouche est importante: le Saumon lève le nez sur une mouche artificielle qui «voyage mal». De plus, on doit s'attaquer à une fosse Saumon par Saumon, c'est-à-dire que lorsqu'on a effectué en vain une dizaine de lancers vers un Saumon, il faut l'oublier et s'attaquer à un autre. Cela dans le but de ne pas les effrayer.

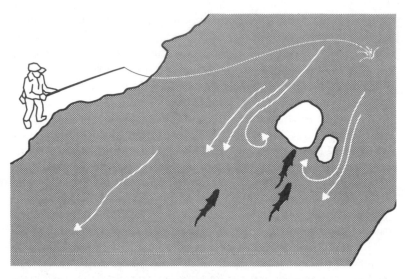

Lorsque vous pêchez dans une rivière à Saumons, effectuez vos lancers de l'aval vers l'amont. Un Saumon agressif se laissera tenter par une mouche bien présentée. Si une fosse contient plusieurs Saumons, pêchez-les un par un.

Une excellente méthode consiste à déposer la mouche sur le nez du Saumon et à la laisser dévier sur une distance de 1 à 2 m (de 3 à 6 pi). Je vous conseille fortement de couvrir votre fosse d'aval en amont. Laissez toujours votre soie tendue.

Je commençai donc à moucher, en déposant délicatement ma mouche, pour ne pas effrayer mon Saumon. Je pris mes distances... J'effectuai en sa direction plusieurs lancers, mais rien ne laissait croire qu'il voulait attaquer. À la pêche au Saumon, lorsqu'on pêche à vue, on doit faire preuve d'une grande patience. En passant, précisons que sur la rivière La Loutre on recommande d'utiliser un bas de ligne de 2 à 3 kg (de 4 à 6 lb) de résistance. Il faut aussi tenir compte du fait que les Saumons d'Anticosti, sauf dans certaines rivières, pèsent moins de 4,5 kg (10 lb). Lancer après lancer, infatigable, je m'évertuai à présenter au Saumon ma mouche sèche, une «Oiseau blanc» n° 10.

Au moment où j'allais retirer ma soie, je vis surgir, comme un sous-marin, un superbe Saumon qui s'attaquait lentement à ma mouche et la gobait avant de plonger vers le fond. Je ferrai! J'en avais la respiration coupée. La soie se tendit comme la corde d'un arc, elle fendit la surface de l'eau et son extrémité disparut dans la rivière. Soudain, un bolide argenté jaillit hors de l'eau et la bataille commença.

Je levai ma canne verticalement. Il filait à toute allure, déroulant bruyamment la soie de mon moulinet. J'essayais de n'imprimer aucune secousse à ma canne pour ne pas déchirer la bouche de ma proie et ainsi la perdre. Au bout de sa course, sans avertissement, le Saumon revint vers moi à vive allure. Je récupérai rapidement. Je le sentais au bout de ma canne, mais il n'était pas encore prêt à passer à l'épuisette. Ses réserves d'énergie étaient déconcertantes: il piqua vers le rapide au bout de la fosse. Le duel était engagé depuis 10 minutes, pourtant il n'y avait ni vainqueur, ni perdant. Mais je le sentis faiblir. Je le dirigeai et l'entraînai dans l'eau calme où probablement il dépenserait plus d'énergie qu'en eau trouble. Il se fatiguait. Je l'avais presque à ma merci: finis les sauts acrobatiques! J'exerçai une tension et le guide se prépara à lui passer le filet. Je réussis à l'emmener non loin de la rive et il le puisa facilement. Ouf!

La «Lady Amherst»: Une mouche de grande classe!

Quel remarquable duel ce Saumon m'avait livré! Je le pris dans mes mains et je me rendis compte à quel point la chair de ce poisson était ferme: c'était à croire que je touchais des muscles... Je jubilais. Avec le Saumon, il ne faut jamais «vendre la peau de l'ours avant de l'avoir tué». Combien de fois de magnifiques pièces ne sont-elles pas demeurées à l'eau à cause de l'inexpérience du pêcheur: un nœud mal fait, un excès de confiance, une soie avec trop de lest, trop de tension imprimée au moulinet au cours d'une bataille. Bref, c'est en mouchant qu'on devient moucheur! On a beau lire les meilleurs livres, apprendre les meilleurs trucs, c'est le bord d'un «pool» qui demeure la meilleure école.

Combien de fois n'avais-je pas rêvé de venir sur cette île légendaire où les plus grands saumoniers du monde avaient trempé leur soie? L'inaccessible devenait réalité. Le guide m'invita à aller explorer une autre fosse: je ne me fis pas prier. D'autant qu'il est recommandé, après un tel combat, de laisser le calme s'installer à nouveau dans la fosse.

Midi approchait. Tous les espoirs étaient permis. Arrivé à la fosse n° 2, je remarquai qu'elle était peuplée de jeunes Castillons. Il faut noter que les fosses sont minuscules à Anticosti. Je voyais au fond de celle-ci quelques belles pièces qui auraient fait l'envie de bien des pêcheurs. Je commençai à moucher en déroulant tout au plus 7,50 m (25 pi) de soie. Le guide me conseilla d'utiliser une «Sylver Rat» n° 10. Le résultat ne mit pas longtemps à venir: ma mouche noyée attira un beau Saumon. Plus gros que le premier! Il quittait son repaire de fortune pour venir gober ma mouche. Ma soie se raidit comme un fil d'acier. Au beau milieu de la fosse, le Saumon sortit complètement de l'eau comme pour me montrer ses parures argentées. Quel merveilleux spectacle! Tout comme le précédent, il fit dérouler 30 m (100 pi) de soie. Puis, il s'immobilisa quelques instants dans le rapide. Je tenais ma canne bien haute. Il fit une deuxième cabriole. J'abaissai ma canne pour donner du mou à ma soie. Le Saumon, lorsqu'il saute, donne des coups de queue pour se libérer. À ce moment-là, je sentais qu'il voulait reprendre sa liberté. Mon guide me prodiguait constamment de précieux conseils. J'essayais de me rappeler quelle espèce de poisson m'avait offert une telle résistance: il était le seul en lice!

Peu à peu, je gagnai du terrain en tentant, sans trop le forcer, de l'entraîner hors du rapide. Quelques branches d'arbres morts gisaient en bordure de cet endroit: je ne voulais à aucun prix qu'il aille s'y empêtrer.

Ensuite, il sortit du ciré et je croyais l'avoir à ma merci tandis qu'il déployait toutes ses ressources pour se déplacer à l'extrémité de la fosse. Quel poisson coriace! Je n'avais plus le choix. Avec un bas de ligne de 3,5 kg (8 lb) de résistance et une canne très légère de 2,25 m (7,5 pi), il fallait attendre que mon poisson s'épuise. Après 20 bonnes minutes d'un combat acharné, je le saisis par la queue: 3,5 kg (8 lb) de dynamite!

Au chalet, notre cuisinière allait nous le préparer en darnes, agrémenté d'un excellent vin.

Je profitai des jours suivants pour visiter l'île. Ces vacances m'ont permis de converser avec les habitants de Port-Menier, tous natifs de l'île depuis plusieurs générations. Ils ne souffrent ni de la solitude ni de la clameur des grandes villes. Petits-fils des anciens serfs de monsieur Henri Menier, ils vivent aujourd'hui paisiblement sur l'île d'Anticosti.

Le dernier jour, le guide m'invita à aller taquiner la Truite de mer. Il me conseillait d'utiliser des mouches sèches telles la «Adams», la «Hendrickson» et la «Grey Wulff» n° 12. Après quelques lancers, une superbe Truite de 1 kg (2 lb) happait la mouche artificielle. Ces vifs combats ne sont pas à dédaigner et le poisson fraîchement arrivé des eaux salées est tout simplement délicieux.

En moins d'une heure, six belles Truites se retrouvaient au fond de mon panier d'osier.

Le lendemain, je quittais l'île non sans regret. Jamais je n'oublierai l'accueil que l'on m'y a réservé, ni les joies indescriptibles que le Saumon Atlantique m'y a procurées.

Anticosti, île majestueuse, plantée au beau milieu du golfe Saint-Laurent… Anticosti: le rêve que caressent tous les pêcheurs québécois.

Au retour, dans l'avion qui me déposa à Sept-Îles, j'avais vraiment l'esprit ailleurs. Je me remémorais ces paysages majestueux. Tant d'éléments naturels réunis en un seul endroit, cela tenait de la magie! Une féerique aventure au pays du Saumon Atlantique…

Conseils

Lorsqu'il pêche le Saumon dans une fosse qui lui est assignée, le pêcheur doit d'abord localiser les poissons. Des lunettes à verre polarisé sont pratiquement indispensables.

Le choix des mouches est d'une importance capitale. Je vous conseille de pêcher avec une mouche noyée; si les résultats tardent à venir, utilisez une mouche sèche.

Assurez-vous d'avoir le soleil dans le dos pour effectuer vos lancers. La présentation de votre mouche artificielle joue un rôle prépondérant.

S'il y a plusieurs Saumons dans la fosse, pêchez-les un à la fois. Après la capture d'un Saumon ou après en avoir raté un, laissez le calme s'installer à nouveau dans la fosse. Lorsque vous ferrez, tenez votre canne à la verticale. Lorsque le Saumon saute, baissez votre canne pour donner du mou à votre soie, sinon le poisson pourrait donner un coup de queue et se libérer de l'hameçon.

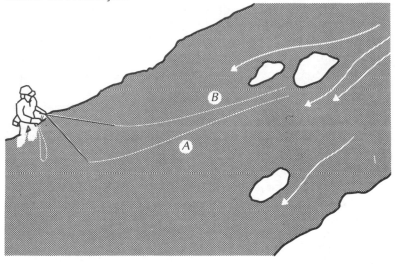

Le saumonier doit moucher du point (A) vers le point (B). Cette technique consiste à couvrir une plus grande étendue et à ne pas effrayer le Saumon. Cette même technique peut s'appliquer lorsqu'on taquine la Mouchetée.

Si vous désirez obtenir des renseignements quant aux séjours offerts sur l'île d'Anticosti, renseignez-vous auprès de la SÉPAQ.

L'Omble de Fontaine
(Truite Mouchetée)
Salvelinus fontinalis (Mitchill)

Description

L'Omble de Fontaine, populairement appelé Truite Mouchetée, est probablement le poisson le plus populaire auprès des
pêcheurs québécois.

L'Omble de Fontaine possède un corps allongé quatre ou
cinq fois plus long que large. Au nombre de sept, ses nageoires
ne sont pas épineuses, contrairement à celles du Doré par
exemple. Sa queue se termine en une ligne à peu près droite ou
légèrement concave, ce qui n'est pas le cas pour toutes les espèces de sa famille.

La Mouchetée se distingue encore mieux par ses couleurs:
un dos vert olive avec mouchetures, des côtés orangés, et colorés de jaune ou de rouge sur le ventre.

On la repère facilement grâce à ses nombreuses taches ar-
rondies d'un rouge vermillon cernées de bleu pâle. Les nageoires caudales et dorsales noires contrastent avec un fond
rougeâtre. Une ligne latérale sépare les flancs de la tête à la
queue. La bouche est oblique et la mâchoire inférieure porte
une rangée de dents courtes et pointues; la mâchoire supérieure est presque identique sauf que les dents y sont plus
nombreuses à l'avant du palais.

Au moment du frai, le mâle prend une coloration rouge plus
vive, sa tête s'élargit et sa mâchoire inférieure s'allonge en forme
de crochet.

La couleur de la robe et de la chair de la Truite Mouchetée peut varier légèrement d'un lac à l'autre. Certains prétendent que la nourriture qu'elle absorbe influence la coloration de sa chair.

Habitats et habitudes

Deux facteurs importants déterminent l'habitat de ce poisson carnivore: la température de l'eau et son degré d'oxygénation. La température idéale varie entre 13 et 20 °C (55 et 68 °F).

Voici les endroits les plus «fructueux» où capturer l'Omble de Fontaine sur un lac: (A) la décharge; (B) la baie profonde; (C) la pointe; (D) les contours des îles; (E) les pointes sous-marines; (F) l'embouchure du lac. Ce n'est pas tout de connaître les meilleures structures, encore faut-il déjouer les ruses et les caprices de la Mouchetée.

La Mouchetée aime évoluer dans les eaux bien oxygénées, près de rivages alimentés par des sources ou près des ruisseaux et rivières où l'eau se maintient à près de 11 °C (52 °F), afin de satisfaire ses besoins respiratoires.

L'Omble de Fontaine préfère une eau claire, transparente et limpide. Il chasse près des troncs d'arbres tombés dans l'eau, le long des berges et partout où sa nourriture préférée abonde, là où pullulent les insectes terrestres comme les Mouches, les Fourmis, les Sauterelles, les Papillons et les insectes aquatiques comme les larves de Phryganes, les Éphémères, les Moustiques et plus de 80 autres espèces qu'il serait trop long d'énumérer.

Les Ménés, les Grenouilles et les Salamandres font également partie de son menu. À noter que, dans des conditions idéales (16 °C (61 °F), la Truite Mouchetée mange en une semaine une quantité de Ménés équivalant à 50 p. 100 de son poids!

La «Jolliet Hopper»: L'imitation parfaite d'une sauterelle.

Nos observations montrent que la Truite Mouchetée de lac, hiver comme été, se tient près des endroits de frai. Tôt au printemps, elle devient frivole et s'attaque à presque tout ce qu'on lui présente: nymphes artificielles, Vers de terre, foie de porc, même à un grain de blé d'Inde! En début de saison elle évolue dans très peu d'eau et, au fur et à mesure que la chaleur réchauffe l'eau, elle se réfugie dans les fosses plus profondes et mieux oxygénées.

Le record mondial

Capturée dans le rapide Rabbit, dans la rivière Nipigon en Ontario, en 1916, par le docteur J.W. Cook, une Truite Mouchetée a fait osciller la balance jusqu'à 6,6 kg (14,5 lb). Un employé du MLCP me confiait qu'un Omble de Fontaine de 4,62 kg (10,25 lb) fut capturé dans la réserve faunique du Saint-Maurice, en 1977, au lac Le Portage. Notons qu'il existe encore des rivières et des lacs qui hébergent de gros spécimens. La race n'est pas en voie d'extinction; cependant, il devient urgent que les gouvernements du Québec, du Canada, et surtout des États-Unis se penchent sérieusement sur le phénomène des pluies acides et que l'on applique rapidement une politique de contrôle et d'élimination commune de cette source majeure de pollution de nos lacs. Le Québec est l'un des plus grands réservoirs de Truites Mouchetées au monde! Il serait dommage que cette richesse aquatique soit mise en danger par l'inconscience et l'insouciance de quelques individus!

Techniques de pêche

La réserve faunique du Saint-Maurice se situe à 109 km au nord de Trois-Rivières, à 189 km à l'ouest de Québec et à 240 km au nord de Montréal. On y accède par la route 155. À moins de trois heures de route des grands centres urbains tels que Québec et Montréal, cette réserve paradisiaque est le sanctuaire de la Truite Mouchetée. Pour s'y rendre, il faut s'inscrire au poste d'accueil Mattawin, le long de la route 155.

C'est là que la majestueuse rivière Saint-Maurice sépare la réserve du reste du monde...

Il faut tenir compte de plusieurs modalités si l'on veut séjourner dans la réserve: notons les cinq plus importantes.

1 — Réserver un lac 48 heures à l'avance (1-800-462-5349) (MLCP).

2 — Avoir participé au tirage au sort et obtenu un séjour de pêche (voir les règlements du MLCP).

3 — Avoir réservé un séjour de pêche sur annulation (voir les règlements du MLCP).

4 — Envisager la possibilité d'y faire du camping sauvage (mode de réservation auprès du MLCP).

5 — Réserver directement au poste d'accueil 24 heures à l'avance.

Lorsqu'on a traversé le Saint-Maurice, on peut observer de magnifiques paysages surplombant la rivière Mattawin. Le relief de la réserve est moyennement accidenté. De 1886 à 1963, cet immense territoire a appartenu à des clubs privés. Cette année-là, le gouvernement en place créa la réserve faunique du Saint-Maurice. Pas moins de 15 espèces de poissons, 100 espèces d'oiseaux et 30 espèces de mammifères animent la vie aquatique et terrestre de ce superbe territoire.

La Truite Mouchetée et la Truite Grise, l'Orignal, l'Ours Noir et le Castor, la Gélinotte Huppée, l'Aigle Pêcheur et le Huard attirent des milliers de pêcheurs et de chasseurs dans ce magnifique domaine de 786 km^2, jadis habité par la tribu des Têtes-de-Boule.

Aventure de pêche

Dans les réserves fauniques du Québec, le personnel est affable et courtois. Comme vous le savez, lorsque vous possédez un droit d'accès avec hébergement, vous participez tous les soirs à 21 h à un tirage au sort des lacs en opération, en présence du gardien. Comme je m'offrais un séjour de trois jours, il était impérieux que je me renseigne auprès des responsables sur la qualité de la pêche.

Au mois d'août, la Truite Mouchetée a tendance à se réfugier dans les fosses où la température de l'eau répond à ses besoins d'oxygénation. Le poisson devient moins actif le jour. Il chasse surtout tôt le matin et le soir à la brunante.

Le préposé à l'accueil nous prévint que, en raison de la canicule, la qualité de pêche était l'une des plus mauvaises depuis une vingtaine d'années! Rien pour nous rassurer...

Aucun lac, sans exception, n'était recommandé! Cependant, dans les parcs et réserves du Québec, chaque lac a un quota, c'est-à-dire un poids limite de captures. Lorsque le quota d'un lac est atteint, on le «ferme» et on en «ouvre» un autre, au grand plaisir des pêcheurs.

À l'accueil Wessonneau, les lacs considérés comme étant les plus productifs sont les suivants: le lac des Moineaux, le lac Marshall, le lac Saint-Thomas et le lac Durocher. Mais aussi les lacs Polette, Écarté, Huard, Bec Scie, Crécelle, Longfellow...

Vers 21 h, quelque 13 équipes de pêcheurs bourdonnaient dans le chalet du gardien. Au moment du tirage, on aurait pu entendre les mouches voler... Le lac des Moineaux fut choisi en premier lieu par trois heureux pêcheurs. Nos noms furent tirés en troisième lieu et notre choix se porta sur le lac Durocher: une heure de portage, mais des Truites appréciables!

Couchés tôt et levés à l'heure des poules, nous présentions les premières mouches artificielles vers 6 h 45! À cette heure, l'Omble est plus actif et les «Hornberg», «Adams», «Mickey Finn» et «Mudler Minnow» attiraient les Truites qui venaient les saisir goulûment. Lorsque vous pêchez à la mouche sèche, avec une «Adams» par exemple, je vous conseille de moucher avec une canne à mouche à action moyenne de 2,50 à 2,70 m (8,5 à 9 pi). La soie doit être flottante à double fuseau; cela permet une meilleure présentation de la mouche artificielle sur l'eau.

La «Mickey Finn»: Avec le «Mudler Minnow», ce streamer détient les records de vente.

Le choix de la canne et de la soie joue selon moi un rôle important dans la réussite de votre pêche. Le graphite a gagné la faveur populaire grâce aux qualités qu'on lui connaît: légèreté, souplesse et résistance.

Quant au bas de ligne, je vous le conseille en fuseau long de 2,70 à 3 m (9 à 9,5 pi) avec une résistance de 2 kg (4 lb) au maximum. Plus la résistance est faible, plus le combat entre le pêcheur et le poisson est stimulant et loyal! Il est à noter que cette pièce indispensable de l'équipement est le lien presque invisible entre la soie et la mouche artificielle.

Des 18 Truites rapportées et pesées sur la balance du gardien, 13 ont été leurrées par les mouches sèches. Faire la capture de Mouchetées avec des «sèches» demeure la plus grande satisfaction qu'un moucheur puisse connaître.

J'aimerais souligner que dans la réserve faunique Papineau-Labelle, on offre aux pêcheurs à la mouche un lac réservé uniquement aux moucheurs.

Lorsqu'on pêche à la mouche, on doit constamment fixer sa mouche et ne pas la perdre de vue. À la moindre distraction, on risque de perdre le trophée de la journée.

Cela se produit souvent lorsque les Truites n'ont pas la voracité qu'on leur connaît habituellement. Vous mouchez en direction d'un gros tronc d'arbre émergeant hors de l'eau, près de la berge. Ne cessez pas d'effectuer des lancers en tentant de couvrir le plus de «terrain» possible. Ne vous découragez pas, même si vous pêchez dans cette direction depuis plus de 20 minutes. Si vous sentez qu'une belle Truite habite ce lieu, persistez.

Combien de fois n'avez-vous pas quitté une baie pour aller pêcher à la «décharge» du lac? Au même moment, un magnifique Omble happe votre mouche en sortant complètement de l'eau, mais vous n'avez pas le temps de ferrer… Évidemment, il relâche la mouche artificielle pour retourner dans son repaire. Lorsque l'on pêche à la mouche depuis plusieurs années, c'est impardonnable!

Le deuxième soir, tous les pêcheurs qui occupaient les chalets du secteur Wessonneau juraient à qui voulait l'entendre que c'était au lac des Moineaux qu'ils désiraient aller pêcher le lendemain, si le sort les favorisait, évidemment. Quant aux trois chanceux choisis pour aller pêcher sur ce lac, devinez le fruit de leur pêche? Cinq, sept, dix ou onze kilos de belles Truites? Souriez! Onze kilos du plus beau poisson de la terre... des Mouchetées pesant jusqu'à 1 kg (2 lb); 43 cm (17 po) de longueur! Intéressant, n'est-ce pas?

Le co-auteur, Michel Foisy, pose fièrement devant les prises de quatre pêcheurs.

Franchement, ce lac est unique dans la réserve. Pourtant, de l'avis de biologistes et de certains agents de la conservation de la faune, il n'a jamais été ensemencé. Ses nombreuses frayères, la limpidité de l'eau, la très grande quantité de nourriture et ses nombreuses fosses pouvant atteindre à certains endroits de 12 à 15 m (40 à 50 pi) font de ce lac un paradis pour la Truite Mouchetée... et aussi pour le pêcheur!

Les premiers jetons furent tirés à l'intérieur de la cabane du gardien: le sort en était jeté: nous pêchions au lac des Moineaux le lendemain! J'entendais des soupirs d'envie derrière moi...

66

Le lac des Moineaux n'a rien à envier aux lacs Cuttaway et Vison de la réserve faunique Mastigouche.

Soulignons que les chalets du Saint-Maurice sont propres et spacieux tout comme ceux de la réserve faunique Mastigouche où j'eus l'occasion de faire un séjour de rêve.

Vers 5 h 30, avant le lever du soleil, des odeurs de bacon, d'œufs, de rôties et de café se dégageaient de la cuisine de notre chalet. Il est bon de partir à la pêche l'estomac bien rempli. Parfois les heures paraissent longues sur un lac, surtout lorsque le poisson ne veut pas coopérer...

Ceintures de sauvetage, cannes et moulinets, vestes de mouches, appareil-photo et tout l'attirail du parfait pêcheur étaient dans le coffre de la voiture. À quelques kilomètres du chalet, un portage facile de 15 minutes nous attendait. À pas feutrés, comme des chasseurs aux aguets, nous marchions dans ce sentier encore humide de la rosée matinale; parfois nous entendions un bruissement, tantôt le piaillement d'une Mésange ou d'une Sittelle, ou encore la surprenante et saisissante Perdrix Stupéfaite! Toute la fébrilité d'un monde animal s'éveillant à l'aube nous envahissait. C'est ce petit quelque chose qui donne sa pleine valeur à une excursion de pêche...

Puis, à quelques centaines de mètres, à l'ombre des grands feuillus et des odoriférants conifères, une tache bleue. L'eau claire et limpide sur un fond rocailleux nous permettait d'apercevoir quelques Truitelles nerveuses.

Un soleil jaune d'œuf promettait de faire grimper le thermomètre! Une journée torride nous attendait.

Sur l'eau, de multiples insectes de toutes les couleurs et de toutes les grosseurs nageaient librement. Parfois des carapaces de Plécoptères et de Diptères m'indiquaient que la «Adams», la «Bivisible» et la «Hornberg» ainsi que la «Tellico» feraient sortir les Ombles de leurs cachettes. La journée idéale pour prendre de la Truite ou... un joyeux coup de soleil!

Dans le sillon que formait l'hélice du moteur électrique, je laissais traîner un «Mudler Minnow» n° 8. Ceux qui ont pêché à la traîne avec une canne à mouche savent bien que cette imitation de Méné provoque la Truite. En plus, cette mouche peut reproduire un insecte aquatique et même terrestre. On com-

Parfois les Mouchetées sont capricieuses et ne veulent pas saisir les mouches sèches. Une excellente approche consiste à pêcher à la traîne avec un streamer, un «Bucktail», une nymphe ou une noyée. Pêchez à différentes profondeurs et variez la vitesse de traîne.

prendra sa très grande popularité auprès des pêcheurs à la mouche.

J'explorai les pointes et le contour de l'île. On m'avait vivement recommandé cette dernière structure, mais aucune Truite ne voulait de ma mouche artificielle. J'avais la certitude que la chaleur y était pour quelque chose. Pourtant, je longeai, à quelque 20 m au large, les abords d'une baie qu'une flore abondante protégeait des chauds rayons du soleil. Cet endroit m'inspirait... J'arrêtai le moteur et je jetai l'ancre. Surprise: je pêchais dans plus de 13 m (45 pi) d'eau! L'ancre ne touchait même pas le fond. Je pouvais faire l'hypothèse suivante: puisqu'un changement brusque de température, que l'on appelle la thermocline, survenait là, il était fort possible que l'Omble de Fontaine vienne s'y réfugier pour y retrouver des conditions favorables: un taux d'oxygénation élevé et une température idéale en cette journée estivale. (Voir l'illustration page 69.) Je troquai mon «Mudler» contre une nymphe artificielle, la «Tellico», dont la principale caractéris-

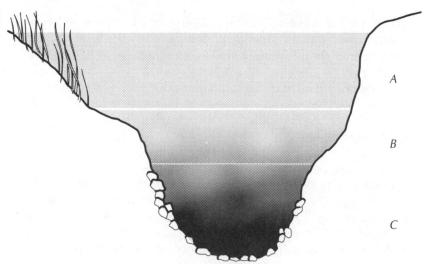

La Truite Mouchetée, lorsque la température de l'eau atteint un degré élevé à la surface, a tendance à se réfugier là où elle peut satisfaire ses besoins d'oxygénation. Dans un lac, tout changement brusque de température l'attirera inévitablement. Nous appelons cette couche d'eau la thermocline (B). La couche (C), l'hypolimmion, est pauvre en oxygène. La couche (A) se nomme épilimmion.

tique est d'imiter plusieurs nymphes. Une vraie dépanneuse! Son coloris jaune, vert et brun déjoue, printemps comme été, l'Omble tant convoité.

J'effectuai quelques lancers avec une soie «calante». (On peut aussi pêcher avec cette mouche en utilisant une soie flottante.) Sans avertissement, une Mouchetée s'empara de la mouche artificielle. Vive comme l'éclair, elle chercha à se détacher de l'hameçon acéré. Le duel s'engagea. Elle vint sauter à quelques mètres de notre embarcation; je récupérai rapidement. Avec ma main gauche, je retins la soie pour la raidir. La Mouchetée se fatiguait lentement. Mon compagnon la puisa: 43 cm (17 po) de longueur et 1 kg (2 lb).

En y pensant bien, je me dis que cet endroit avait toutes les caractéristiques requises pour que l'Omble puisse venir se reposer, s'alimenter et s'oxygéner. Une eau fraîche (15 °C (60 °F) — nous y avions plongé un thermomètre —, une quantité remarquable de larves d'insectes émergeant de l'onde et deux sources souterraines provenant des montagnes qui rendaient cette baie à l'abri du vent, la meilleure cachette pour l'Omble de Fontaine.

Lancer après lancer, les centaines pour ne pas dire les milliers de Mouchetées qui s'entassaient au fond de l'eau comme des «Sardines» happaient les mouches artificielles comme si elles étaient bien réelles!

Le plaisir que j'ai eu à ferrer ces Truites magnifiques durant quelques heures valait bien que j'aie patienté durant un hiver rigoureux à pelleter, à gratter, à geler et surtout... à rêver!

Une pêche comme celle-là ne se réalise pas tous les jours. C'est pourquoi il ne faut pas vous étonner de rencontrer les agents de la conservation de la faune à votre sortie du lac. Ils protègent et surveillent ce plan d'eau comme la prunelle de leurs yeux! Et avec raison!

Le lac des Moineaux est strictement réservé aux pêcheurs qui ont obtenu un droit de pêche avec séjour à l'accueil Wessonneau. Il est donc impossible de le réserver à Québec pour 48 heures. Généralement ce lac est «ouvert» une quinzaine de jours, tout au plus.

À noter qu'il est strictement interdit de décrocher et de remettre à l'eau les prises de petites tailles. Le règlement le défend et les Truites remises en liberté doivent être calculées dans votre quota de pêche journalier.

Comme j'ai eu tellement de succès avec la mouche artificielle «Tellico», j'ai cru bon, pour les amateurs monteurs de mouches, de décrire sa robe et les étapes de sa confection. C'est une mouche facile à fabriquer et très efficace.

Sa robe: hameçon: n° 8
          queue: hackle brun
          corps: floss jaune quatre brins
          côtes: fibre de paon
          thorax: fibre de paon
          pattes: hackle brun
          fil noir n° 6 ciré

La «*Tellico*»: *Une nymphe superbe, efficace, à connaître.*

Le groupe de pêcheurs dont je faisais partie a conservé d'excellents souvenirs de ce séjour de pêche. Je recommande à tous les pêcheurs de visiter un jour cette réserve où la qualité de la pêche est excellente. Ils pourront aussi visiter certains sites pittoresques, comme le *Steamboat-Rock*.

Conseils

La pêche à la mouche apporte de grandes satisfactions. Lorsque la température est clémente et la chaleur torride, les chances de succès sont moindres. Une mouche imitant des insectes qui pullulent à la surface de l'eau et que la Truite apprécie augmente vos chances d'en capturer beaucoup et de bonne qualité.

Avis aux pêcheurs novices: persistez, ne vous découragez pas. Les plus grands pêcheurs à la mouche sont souvent revenus bredouilles de leurs premières expériences de pêche.

Si l'on pêche avec une soie flottante, il ne faut jamais perdre de vue la mouche artificielle attachée au bas de ligne. Vos ferrages seront plus efficaces. Attendez que la Truite gobe la mouche avant d'imprimer à votre ligne une bonne tension.

L'harmonie canne/moulinet/soie aux points de vue du poids et de l'équilibre demeure un facteur très important.

Choisissez vos mouches artificielles en fonction des éclosions. (Voir à cet effet le tableau concernant 20 mouches artificielles très populaires au Québec.) L'attention que le moucheur porte aux insectes augmente ses chances de capture.

Tableau de 20 mouches artificielles très populaires au Québec que nous vous recommandons

Nom populaire de la mouche	Période de l'année où il est préférable de l'utiliser	Ce que la mouche imite	Grosseur idéale	Soie à utiliser	Genre de mouche artificielle
1. Mudler Minnow	Toute l'année	Méné	2 à 14	«Calante» ou flottante	Streamer
2. Mickey Finn	Toute l'année	Méné	2 à 10	«Calante» ou flottante	Bucktail
3. Magog Smelt	Toute l'année	Éperlan	2 à 8	«Calante» ou flottante	Streamer
4. Gray Host	Toute l'année	Méné	2 à 8	«Calante» ou flottante	Streamer
5. Black Nose Dace	Toute l'année	Méné	2 à 8	«Calante» ou flottante	Bucktail
6. Tellico	Toute l'année, de préférence le printemps	Plusieurs insectes dont la Truite raffole	8 à 14	«Calante» ou flottante	Nymphe
7. Mouche de mai (May Fly)	Du début mai à la fin août	Éphémère	10 à 12	Flottante	Nymphe
8. Gold-Ribbed Hare's Ear	Mai et juin	Insectes à l'état nymphal	12 et 14	«Calante»	Nymphe d'Éphémère
9. Perle de la chaudière	Le printemps et tout l'été	Nymphe	10, 12, 14	«Calante»	Nymphe de Perlidé

Nom populaire de la mouche	Période de l'année où il est préférable de l'utiliser	Ce que la mouche imite	Grosseur idéale	Soie à utiliser	Genre de mouche artificielle
10. Hendrickson	Juin et juillet	Insecte volant	10, 12, 14, 16	Flottante	Sèche
11. Adams	Juin/juillet/août	Moustique	12 à 18	Flottante	Sèche
12. March Brown	Juin/juillet/août	Insecte	10, 12, 14, 16	Flottante	Sèche
13. Hornburg	Tout l'été	Larve en liberté	10 et 12	Flottante	Sèche
14. Grey Wulff	Juin/juillet/août	Mouche adulte	8, 10, 12, 14	Flottante	Sèche
15. Royal Coachman	Tout l'été	Aucune imitation particulière	8, 10, 12	«Calante» ou flottante	Noyée
16. Montréal	Juin/juillet/août	Insecte	6 à 12	«Calante» ou flottante	Noyée
17. Jolliet Hopper	Juillet et août	Sauterelle	6 à 12	Flottante	Terrestre
18. Jassid	Toute l'année	Insecte terrestre	12 à 20	«Calante» ou flottante	Terrestre
19. Fourmi	Toute l'année, en particulier au milieu de l'été	Fourmi volante	10, 12, 14, 16	«Calante» ou flottante	Terrestre
20. Black Beetle	Juillet et août	Insecte	8 à 14	Flottante ou «calante»	Terrestre

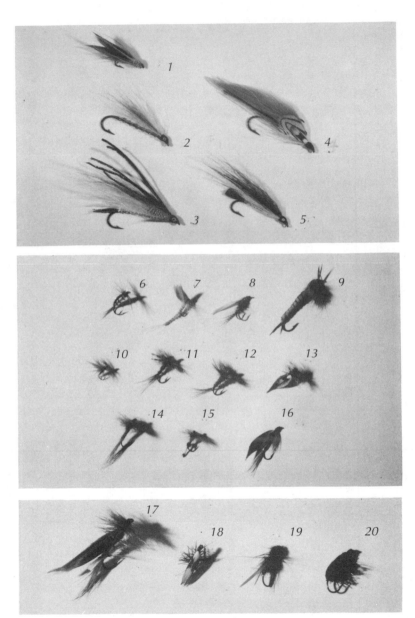

Les 20 mouches artificielles recommandées

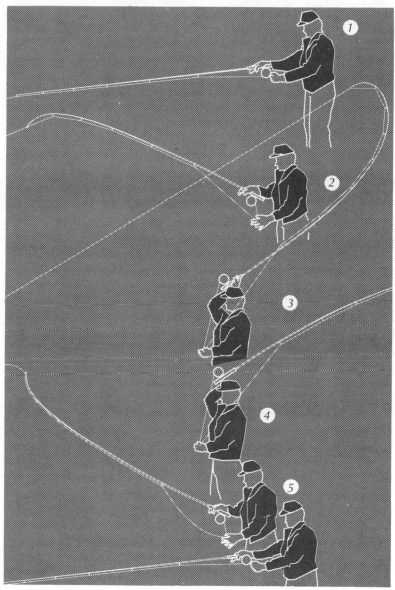

Voici les différents mouvements à exécuter pour effectuer une bonne présentation de la mouche artificielle.

La Truite Brune
Salmo trutta (Linné)

Région de Montréal

Pêcher la Truite Brune à l'ombre des gratte-ciel de Montréal paraît chose singulière! Durant l'année, de nombreux fanatiques viennent taquiner ce superbe Salmonidé, soit à la traîne, soit au lancer léger, soit à la mouche artificielle.

Tard en automne, même en hiver et tôt au printemps, les plus braves affrontent le froid rigoureux et le vent glacial pour pratiquer leur activité préférée.

Des spécimens de 4,5 kg (10 lb) sont capturés régulièrement. Reconnaissons que l'attrait de ferrer des Truites Brunes lorsque l'hiver a déroulé son blanc manteau revêt un cachet unique!

Cette Truite, orginaire d'Europe et d'Asie occidentale, fut introduite en Amérique du Nord en 1883. Au Québec, c'est en 1890 qu'on la vit pour la première fois.

L'implantation de la Truite Brune dans le fleuve Saint-Laurent remonte à 1965. Elle fut abondamment ensemencée. Grâce à ses «qualités physico-chimiques, le tronçon du fleuve, entre les ponts Mercier et Jacques-Cartier, est considéré, parmi les autres plans d'eau de la région métropolitaine, comme le mieux adapté aux exigences de cette dernière», selon J.-R. Mongeau.

Il semble que la Truite Brune soit le Salmonidé qui s'est le mieux adapté à la vie dans le fleuve Saint-Laurent, à la suite des ensemencements que l'on a effectués. Les captures le prouvent. On prend beaucoup plus de Brunes que de toute autre espèce ensemencée, la Truite Arc-en-ciel particulièrement. On attrape trois Truites Brunes pour une Arc-en-ciel.

L'habitat

La Brune préfère une eau tumultueuse et vive. De plus, la profondeur et le volume de l'eau sont importants pour sa survie.

Des biologistes du gouvernement du Québec soulignent que l'oxygénation de l'eau paraît, plus que la température, un facteur essentiel au succès de l'implantation de la Truite Brune. Les eaux chaudes de la plaine de Montréal sont extrêmement riches en organismes de tous genres... Les eaux du Richelieu et du fleuve Saint-Laurent en particulier hébergent quantité de larves d'insectes dont la Truite Brune s'alimente.

Précisons que la Truite Brune peut survivre lorsque la température de l'eau grimpe jusqu'à 26 °C (75 °F). Ce qui n'est pas le cas de la Truite Mouchetée, qui est beaucoup plus sensible à ce facteur.

Alimentation

Comme tous les membres de sa famille, la Brune raffole de larves d'insectes, de Crustacés, d'Éphémères, de Tricoptères, de Zycoptères, de mollusques et de poissons tels l'Éperlan, le Chabot, le Naseux, les Ménés et les petites Perchaudes.

Plusieurs pêcheurs de la région de Montréal, et d'ailleurs en province, s'inquiètent quant à la reproduction de la Truite Brune. D'après plusieurs études menées par des biologistes reconnus dont J.R. Mongeau, «on peut [...] présumer que, dans le fleuve Saint-Laurent du moins, les Truites Brunes produisent des œufs, les déposent et que les œufs sont fécondés».

Le record mondial

Une Truite Brune de 16,3 kg (35 lb et 15 oz) fut capturée en Argentine, le 16 décembre 1952, par Eugenio Cavaglia.

Mais la plupart des captures à la ligne pèsent de 1,5 à 2 kg (3 ou 4 lb). Il m'est arrivé de rencontrer des pêcheurs qui

avaient effectué des prises de 3 à 4,5 kg (de 8 à 10 lb). C'est
très stimulant!

Description et coloration

La Truite Brune est une véritable Truite Franche; elle est
donc fusiforme, comme les membres de sa famille. Ses flancs
sont habituellement décorés de grosses taches foncées sur un
fond jaunâtre, celui-ci pouvant devenir d'un brun olive entre-
mêlé de points orange. Il est intéressant de noter que la Truite
Brune est un proche parent du Saumon Atlantique.

Aventure de pêche

Depuis 1965, les biologistes ont ensemencé des milliers
d'Alevins, de Fretins, et de Truites Brunes d'un an et plus dans
les rapides de Lachine, dans la rivière Richelieu, au bassin de
Chambly, autour de l'île Sainte-Hélène, au barrage de Carillon à
Dorion, et à Sainte-Anne-de-Bellevue, entre Valleyfield et Beau-
harnois.

Les résultats ont un peu tardé à se faire sentir, mais quelques années plus tard, des spécimens de Truites, alors âgées
de deux ou trois ans, ont été capturées à la ligne. Aujourd'hui
on y capture plus de 1000 Truites Brunes dont le poids varie
entre 2,5 et 7 kg (5 et 15 lb)! Quel succès phénoménal!

J'ai croisé plusieurs pêcheurs qui manifestaient leur grande
satisfaction à pouvoir taquiner ce magnifique poisson presque
12 mois par année! Dans ce secteur, situé dans la zone 8, les
pêcheurs sont autorisés à pêcher toute l'année. Cependant, on
observe que la fréquence des captures augmente graduellement
du début du printemps jusqu'à la mi-juin puis diminue assez rapidement pour connaître un creux au cours du mois d'août. En
septembre, la pêche redevient excellente pour s'appauvrir de
nouveau en décembre.

Attiré par ce phénomène, je ne pouvais cacher, au début,
mon scepticisme. J'avais entendu des histoires de pêche in-

croyables. Comme tout bon sportif, je ne pouvais plus retenir mon envie d'en vérifier la véracité.

C'est vers la fin d'octobre que mon camarade et moi avons décidé, un beau matin, d'aller taquiner la Brune à Côte-Sainte-Catherine. Quoique la descente aménagée pour les bateaux fût presque impraticable, je tenais à mettre mon embarcation à l'eau afin de couvrir plus de «territoire». Effectivement, je pêchai à la dérive durant de longues heures et nous ancrâmes l'embarcation près d'une structure qui nous était apparue propice à la capture de Truites Brunes. Cependant, je ne sentis pas la moindre touche de la journée. Je revins bredouille. L'incrédulité et le doute m'envahissaient.

Durant la semaine qui suivit, à deux reprises, je retournai près de ces structures. Comme à la première expérience, le résultat de ma pêche se solda par un échec total. Mes soupçons et ma méfiance augmentaient.

La fin de semaine suivante, alors que j'étais presque à bout de patience, mon compagnon de pêche insista, comme pour tourner le fer dans la plaie, pour que nous retournions, une dernière fois, pêcher sur le Saint-Laurent. Je vous avoue que ma confiance était au plus bas...

Nous avions observé, au cours de sorties antérieures, des chaînes de roches qui s'étendaient sur une longueur approximative de 150 m (500 pi). Il m'avait semblé en avoir distingué plusieurs, grâce à l'observation de petites vagues créées par la friction de l'eau sur des récifs. Mon compagnon me fit remarquer que cette barrière naturelle pouvait bien être le repaire de beaux spécimens, puisque de nombreuses carapaces de larves d'Éphémères et de Tricoptères flottaient sur l'onde. Sachant que la Brune est friande de ces délices, pourquoi ne pas prospecter ce secteur?

La méthode que nous allions utiliser ce samedi d'octobre n'avait rien de commun avec les techniques qu'emploient, parfois à profit, les pêcheurs des rapides de Lachine.

Dans aucun livre, dans aucune revue spécialisée sur la pêche sportive vous ne trouverez d'allusion à ce procédé unique en son genre!

Cette technique, je l'appellerai «la glissade», parce que ce mot fait image.

J'ai toujours trouvé fascinantes les chaînes de roches, c'est-à-dire ces roches stratifiées qui ont été érodées une première fois au cours de la période glaciaire et usées par des années de friction.

Pour bien discerner ces chaînes de roches, puisqu'elles ne sont pas visibles à l'œil nu, vous devez prêter une attention spéciale à de légères vagues se dessinant sur l'onde au-dessus de cette structure. Observez sur l'illustration ci-dessous l'apparence de ces roches, ce qu'elles produisent en termes de mouvement sur l'eau et remarquez où est blottie la Truite Brune.

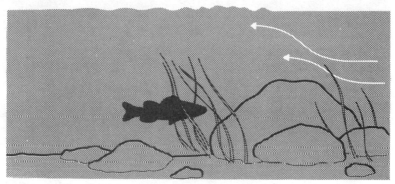

Cette structure rocheuse provoque à la surface de l'eau des ondulations créées par le changement brusque de profondeur. Avec un minimum d'attention vous pourrez repérer facilement ces endroits que les Brunes fréquentent.

Revenons à cette nouvelle technique qu'est la glissade. Tout d'abord, il vous faut placer votre embarcation en amont de ces roches. Ensuite, faites rouler le moteur de votre hors-bord pour aller à la même vitesse que le courant. Il s'agissait d'y penser! Ensuite, lancez votre leurre, soit un poisson-nageur, soit une mouche artificielle, en direction de ces fameuses roches. Dans les rapides de Lachine, et dans toute cette partie du fleuve Saint-Laurent, j'ai repéré une bonne vingtaine de structures comme celles qui sont mentionnées plus haut. Parfois, la structure peut s'étendre sur une longueur de 300 m (1000 pi).

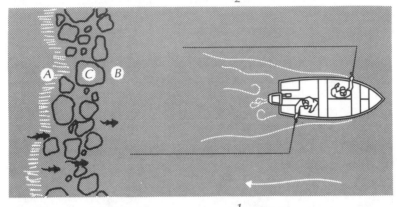

La méthode de la glissade

Voici la façon idéale d'exploiter au maximum ce genre de structure en employant la technique de la glissade. Notez que les Truites se placent en aval (A), et en amont (B) et sur la structure (C). Observez l'illustration ci-dessus. Vous devez toujours commencer par pêcher les Truites qui sont les plus proches de vous (en amont de la structure). Le moteur de votre embarcation doit faire face aux roches. Dans cette position, vous tenez fermement votre canne à pêche d'une main, et de l'autre vous manœuvrez, sans mouvement brusque, le bras du moteur. Vous pourrez ainsi longer la structure de roches, sur toute sa longueur, en gardant toujours la même distance entre elle et votre embarcation. Provoquez le poisson en imprimant à votre canne de légères secousses. Lorsque vous serez au point (2) de la structure — tout à fait à l'extrémité de celle-ci —, vous répéterez cette méthode mais cette fois-ci en déposant votre leurre au-dessus de la structure ou sur elle (C) et vous dériverez parallèlement à la structure en revenant au point de départ (1). Vous voilà donc au point (1); la troisième étape de la manœuvre consiste maintenant à taquiner le poisson qui s'est positionné en aval de cette chaîne de roches en vous rendant lentement, encore une fois, au point (2).

Le fleuve, à cet endroit, a entre 6 et 8 m (18 et 24 pi) de profondeur. On serait tenté de croire que les eaux du Saint-Laurent sont sales et obscures. Eh bien non! Ce milieu aquatique a la caractéristique d'être assez limpide pour que la Truite, en faible profondeur, puisse vous voir! Évitez le bruit et les faux mouvements qui effrayent vos hôtes.

Ce jour-là, la température automnale invitait les pêcheurs à se vêtir chaudement. Une des meilleures périodes pour prendre la Brune est sans contredit l'automne, de la fin d'octobre jusqu'à la fin de novembre.

«Rapalas» de diverses grosseurs, «Rebel» calant et mouches artificielles qui feront réagir la Truite Brune.

Nous avions repéré une structure de type «chaînes de roches», et mon compagnon plaçait l'embarcation de façon qu'elle tourne le dos à cette structure. Les fois précédentes où j'étais venu pêcher la Truite Brune, sans succès d'ailleurs, je m'étais servi comme appât d'un poisson-nageur «calant» de type «Rapala Shad Rap». Ce jour-là, je tentai ma chance avec une grosse mouche artificielle tandem: la «Magog Smelt». C'est probablement une des meilleures mouches utilisées pour capturer la Truite Mouchetée, l'Arc-en-ciel, le Saumon Atlantique, l'Achigan, le Brochet et la Ouananiche en particulier. Cette artificielle que l'on monte sur un hameçon n° 2 imite très bien un petit Éperlan, ce dont la Truite raffole. Après avoir bien attaché la mouche, j'y pinçai sur le monobrin un plomb, à 90 cm (36 po). (Voir l'illustration ci-dessous)

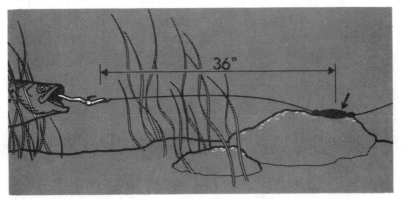

Présentation appropriée pour la capture de la Truite Brune

Je discutais de pêche avec mon compagnon, question de tuer le temps, lorsque de violentes secousses indiquèrent qu'un poisson attaquait farouchement sa mouche. Mon ami ferra brusquement! Quelle résistance présentait ce poisson! Il donnait de violents coups de tête, au fond de l'eau, pour se débarrasser de l'hameçon. Immédiatement, mon ami ajusta la tension du moulinet. Puis, inopinément, le poisson prit le large et déroula du moulinet au moins 30 m (100 pi) de monofilament. S'il existe un poisson qui procure de grandes émotions, c'est bien le Saumon Atlantique! Pourtant, la Truite Brune, vigoureuse, se compare fort bien à celui-ci.

Arrivé au bout de sa course, il monta à la surface. Quelle joie de voir une «palette» semblable. Une Brune… très colorée. Dans nos esprits, aucune équivoque: mon compagnon tenait au bout de sa ligne «le» poisson dont tant de pêcheurs métropolitains rêvent depuis quelques années.

Rusée, vive, rapide, cette pièce tentait maintenant de s'enrouler autour du monobrin. En bandant sa ligne, mon compagnon exerçait une bonne tension pour ramener le poisson vers l'embarcation. En voyant celle-ci comme son «cercueil», le poisson déploya ses dernières ressources d'énergie et fonça vers le fond. (Il faut toujours faire attention que le monobrin ne s'use pas contre la paroi du bateau.) Finalement, mon compagnon l'a hissé dans l'épuisette et nous avons crié victoire!

Une superbe Brune de 4 kg (8,5 lb) récompensait nos efforts. Après l'avoir admirée pendant quelques instants, le temps de prendre des photographies, nous l'avons remise en liberté. Le fait de «gracier» un poisson de cette grosseur apporte une très grande satisfaction. De toute façon, les joies procurées par la capture valent bien qu'on le remette à l'eau, pour qu'un jour un autre pêcheur puisse éprouver le même bonheur.

La méthode de la glissade se révèle être la meilleure technique à employer aux rapides de Lachine. Et de l'avis de quelques initiés, la fréquence des captures est de beaucoup supérieure à celle qu'obtiennent les gens qui utilisent d'autres méthodes.

Près de Montréal, le fleuve Saint-Laurent, jadis considéré comme majestueux, reprend depuis quelques années toute sa splendeur et sa magnificence! Au Québec, plus de 1 500 000 adeptes s'adonnent à la pêche sportive; le tronçon du fleuve situé entre les ponts Mercier et Jacques-Cartier leur permet de capturer des Salmonidés toute l'année!

En plus de la «Magog Smelt», le «Mudler Minnow» et la «Mickey Finn» ainsi que d'autres mouches artificielles ont prouvé par le passé leur efficacité. Les grosses mouches artificielles, de grosseurs de 2 à 6, semblent appréciées par la Brune.

Après l'exploration de l'aval de la structure, nous avons décidé de vérifier, avec nos mouches artificielles, le dessus de cet endroit rocailleux. Trente minutes plus tard, ma mouche artificielle semblait s'être accrochée au fond de l'eau. Je me levai calmement pour la dégager, mais le monobrin du moulinet s'agita... se tendit et se raidit. Je ferrai vivement mais ressentis aussitôt une forte résistance à l'autre bout de la corde. Je réduisis la ten-

(De gauche à droite) «*Gray Ghost tandem*»; «*Magog Smelt tandem*»;
«*Gray Ghost*»; «*Magog Smelt*».

sion du moulinet. J'étais en présence d'un adversaire de taille...
et comment!

Dans le passé, des Brunes, des Arc-en-ciel et des Mouchetées des tributaires du lac Ontario m'avaient offert tout un spectacle, mais ce poisson-ci, piqué au bout de ma ligne, les dépas-
sait largement, en termes de sensations. Il refusait que je le
ramène vers le bateau; au contraire il s'enfuyait désespérément
vers les rapides. Sa ténacité et ses ressources me montraient
qu'il s'agissait d'une pièce imposante.

Au bout d'une dizaine de minutes, qui m'avaient paru une
heure, je commençais à sentir qu'il s'épuisait. Pourtant, il se ta-
pissait toujours au fond, et donnait encore des coups de tête. Il
ne s'avouait pas vaincu. J'essayais d'imaginer quelle grosseur il
pouvait bien avoir. Je savais pertinemment que des trophées de
7 kg (15 lb) avaient été capturés à la ligne dans ces eaux! L'idée
d'en avoir un au bout de ma canne me faisait frémir... Lentement, très lentement, je le ramenai vers moi. J'usai de prudence:
le monobrin de 3 kg (6 lb) pouvait éclater à tout instant. Mainte-

nant, à la surface de l'eau, il s'épuisait. Il était gros. Très gros! À aucun prix, je ne voulais le perdre. Il n'était qu'à quelques pieds de l'embarcation lorsqu'il décida de piquer du nez vers le fond. Momentanément, je crus voir mes espoirs s'envoler! Il me surprit comme un boxeur knock-out qui, après un compte de 7, se relève et continue le combat! Finalement, il perdit la bataille mais gagna les honneurs! Mon compagnon puisa nerveusement ce ruisselant trophée de 4,87 kg (10 lb 12 oz). Quel spécimen magnifique: 68,5 cm (27 po) de long! Le dos large et ferme et la panse épaisse. Il ne souffrait nullement de malnutrition! Et quelles couleurs!

Croyez-moi! Cette nouvelle technique quasi révolutionnaire qu'est la glissade nous a permis de capturer quatre Truites Brunes et deux Truites Arc-en-ciel en cette mémorable journée d'octobre.

Les rapides de Lachine et tous les endroits propices du fleuve Saint-Laurent comme les contours de l'île aux Hérons et de l'île aux Chèvres ainsi que l'île au Diable m'ont conquis! La qualité de pêche que les fanatiques y trouvent m'apparaît tout à fait exceptionnelle.

Une simple attache de ce type facilite le changement rapide de leurre.

Digne des pourvoiries reconnues au Québec, cette portion particulière du fleuve Saint-Laurent permet aux adeptes de la pêche sportive de satisfaire leur soif d'émotions. Un coin de rêve, de calme et de paysages d'une rare beauté, à deux pas de la cohue de la ville aux cent clochers!

L'équipement

Pour pêcher la Truite Brune, une canne de 2 à 2,25 m (7 à 7,5 pi) de longueur, à action lente, est recommandée. Un moulinet de type *fighting drag* de la compagnie manufacturière d'articles de pêche Shimano, ainsi qu'un monobrin de 3 à 3,5 kg (de 6 à 8 lb) de résistance sont indispensables. Un petit émerillon reliant le monofilament au leurre est suffisant.

Quant aux leurres et aux mouches artificielles, je vous suggère les suivants: le «Rapala» flottant ou «calant» n° 7 ou n° 9, le «Rebel», le «Shad Rap» orange fluorescent, bleu ou or. Les mouches artificielles «Magog Smelt» tandem, le «Mudler Minnow» et la «Mickey Finn» n° 2 à n° 6 agaceront avec profit la Truite Brune.

Deux dernières recommandations: si vous utilisez un poisson-nageur flottant, pincez un plomb à une distance de 1 m (36 po) du leurre.

Utilisez une embarcation d'au moins 5 m (16 pi), munie d'un moteur de 20 CV au moins. Le tumulte des rapides requiert la prudence et un équipement nautique adéquat. Inutile d'insister sur le port du gilet de sauvetage.

Conclusion

Des pêches faciles, ça n'existe pas... ou presque pas! Les qualités premières de tout bon pêcheur sont la ténacité et la persévérance. S'ils se trouvent dans un environnement aquatique de qualité et qu'ils appliquent une méthode très efficace, comme la glissade, le pêcheur chevronné comme le néophyte ont d'excellentes chances de réussir des captures intéressantes.

Le co-auteur Jocelyn Lapointe avec un beau spécimen de Truite Brune

N'hésitez pas un instant à appliquer la remise à l'eau.

Enfin, je remercie spécialement les biologistes Vianney Legendre et Jean-René Mongeau et leur équipe pour leur perspicacité, et surtout pour leur témérité et leur ténacité.

Grâce à eux et au ministère du Loisir, de la Chasse et de la Pêche du Québec, des milliers de pêcheurs peuvent profiter de cette manne et jouir à loisir de leur activité préférée.

Conseils

Les eaux tulmutueuses des rapides de Lachine sont un élément naturel que tout pêcheur doit aborder avec prudence.

La méthode de la glissade, décrite dans ce chapitre, est très efficace et très nouvelle.

Les poissons-nageurs «Rapala» flottant ou «calant», le «Rapala Shad Rap» et le «Rebel» sont recommandés. Les «Streamers», «Magog Smelt», «Mudler Minnow» et «Mickey Finn» attirent la Truite Brune.

Le «Mudler Minnow»: Imitant aussi bien un insecte terrestre ou aquatique qu'un Vairon, cette artificielle a été créée par Don Gapen, en 1949, au Canada.

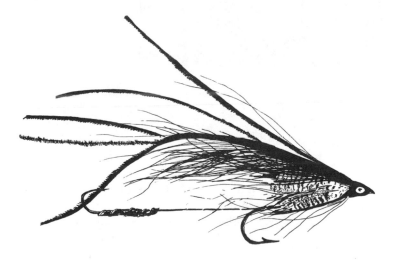

La «Magog Smelt tandem»

Une canne à action lente de 2 à 2,25 m (7 à 7,5 pi) de longueur, un moulinet de type *fighting drag* ainsi qu'un monobrin de 3 à 3,5 kg (de 6 à 8 lb) de résistance rendront votre pêche plus captivante.

Les meilleures saisons de pêche restent l'automne (très tard) et le printemps (très tôt). Je vous conseille d'utiliser une embarcation d'au moins 5 m (16 pi) de longueur et de la munir d'un moteur d'au moins 20 CV.

Si vous effectuez des captures, il serait important d'aviser les biologistes du Service d'aménagement de la faune à Montréal. Ces précieux renseignements seront compilés et analysés. C'est le pêcheur qui sera le premier servi par les ensemencements que l'on y effectuera.

Le Grand Brochet
Esox lucius (Linné)

Description

Reconnue à travers tout le Québec, la région de l'Abitibi est sans contredit la plus riche en Grands Brochets, surnommés Brochets du Nord.

Le Brochet est un poisson sous-estimé par les pêcheurs de chez nous! Peut-être à cause de l'odeur que son limon dégage ou des nombreuses arêtes que l'on retrouve dans sa chair? Néanmoins, ce poisson devrait être apprécié à sa juste valeur, car le Brochet peut être aussi combatif que la Truite, ou aussi acrobatique que l'Achigan. Il possède plusieurs caractéristiques intéressantes. Batailleur et intelligent, ce poisson offre au pêcheur une résistance assez stimulante pour qu'on le respecte.

Souvent attrapé accidentellement par le pêcheur de Doré, le Gros Brochet est le poisson d'eau douce le plus difficile à capturer!

De nombreux Brochets de grande taille vivent dans nos eaux. Pourtant, on en capture peu chaque année. Nous espérons que ce chapitre vous donnera suffisamment de connaissances pour déjouer ce poisson méfiant.

Suivant leur taille et leur poids, les Brochets ne se retrouvent pas aux mêmes endroits dans un lac. Si vous désirez capturer les gros spécimens, retenez bien ceci: vous devez pêcher avec des techniques particulières et à des profondeurs différentes de celles où l'on trouve habituellement les petits. La technique exposée ici, bien différente de celles qui sont habituellement employées pour capturer d'autres espèces, comme la Truite, le Doré ou même l'Achigan, se révèle efficace.

Considéré comme un poisson carnassier, le Brochet est très vorace. On le surnomme «le requin d'eau douce». Sournoisement, il attaque ses proies avec agressivité. Peut-être avez-vous déjà entendu raconter les histoires de certains pêcheurs qui ont vu des Brochets happer des Rats Musqués ou des Canetons pataugeant inconsciemment près des repaires de ces monstres. De toute façon, vous trouverez un immense plaisir à pêcher ce poisson.

Le Brochet du Nord fait partie de la famille des Ésocidés, comme le Brochet Maillé et le Maskinongé. On reconnaît le Brochet Maillé par les motifs d'anneaux imprimés sur son corps. Notons qu'on le trouve seulement dans les Cantons de l'Est. Par contre, plusieurs personnes ont des doutes sérieux lorsqu'il s'agit de faire la différence entre un Brochet et un Maskinongé. Voici quelques trucs pour vous aider à mieux identifier ces poissons.

Pour bien faire la différence entre le Brochet et le Maskinongé, sachez que le premier a des écailles sur la moitié de l'opercule, alors que le second n'en a pas. La coloration du Brochet est faite de taches pâles sur un fond foncé, tandis que celle du Maskinongé est caractérisée par des taches foncées sur un fond pâle. Enfin, le Brochet possède 5 pores sous-mandibulaires sur chaque côté, et le Maskinongé, de 6 à 10.

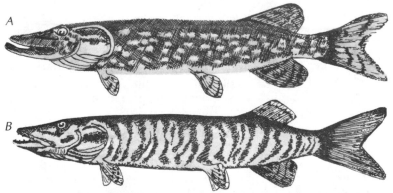

Cette illustration représente bien les nettes différences qui existent entre (A) le Brochet et (B) le Maskinongé.

La période de frai du Brochet a lieu au printemps, à des températures de 3 à 11 °C (de 39 à 52 °F). Les femelles demeurent sur les frayères de deux à trois jours, et les mâles habituellement un peu plus longtemps. Le frai se fait dans les baies, les ruisseaux et les marécages où l'eau est généralement plus foncée. Un Brochet peut frayer la deuxième année de son existence. Par exemple, une femelle de 1,5 kg (3 lb) pond en moyenne 30 000 œufs annuellement tandis qu'une femelle de 7 kg (15 lb) peut en pondre jusqu'à 200 000! Assez impressionnant, n'est-ce pas? Malheureusement, seulement de 5 à 10 p. 100 des œufs atteindront la maturité.

Le record mondial

Le plus grand Brochet homologué fut capturé dans l'État de New York le 15 septembre 1940 au réservoir Scanandaga par M. Peter Leduc. Il pesait 20,9 kg (46 lb et 2 oz).

Les structures idéales

Lorsque vous vous rendez sur un lac, la première idée qui vous vient à l'esprit est: où peut-on prendre du Brochet? Nous vous conseillons d'abord d'étudier la carte bathymétrique qui vous indiquera les différentes profondeurs du lac. Marquez au crayon les endroits qui semblent les plus propices à la pêche au Brochet. Étudions ensemble une carte pour vous aider à identifier les structures où se trouve généralement le Brochet. L'illustration de la page 96 illustre bien les différentes courbes de profondeur.

Un des meilleurs endroits pour pêcher ce «requin d'eau douce» est sans aucun doute les *lignes d'herbes;* spécialement celles qui sont situées près des profondeurs. Les Brochets sont attirés par la nourriture qui se trouve dans les herbiers et par la sécurité que leur procure l'eau profonde. N'oubliez pas: le Brochet est un poisson qui chasse à l'affût, et plus vous passerez votre leurre près de la ligne d'herbes, plus il sera facile au pois-

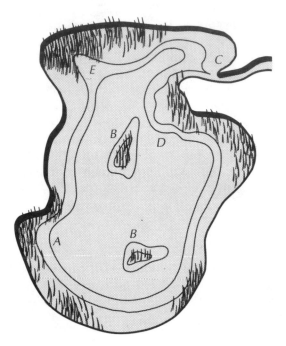

Voici les différents endroits où pêcher le «requin d'eau douce»: (A) les lignes d'herbes situées près des profondeurs; (B) le contour des îles; (C) l'embouchure des ruisseaux; (D) les pointes d'herbes et (E) les baies profondes.

son de le saisir. Il ne faudra surtout pas négliger d'explorer les *contours des îles*, véritables «garde-manger», peu fréquentés par les pêcheurs! Un vrai paradis qui vous est entièrement réservé!

Les *embouchures de ruisseaux* apportent l'eau fraîche qui attire les poissons-appâts. Rappelez-vous que vous trouverez toujours une concentration de Brochets là où ses proies abondent. Très tôt au printemps, les endroits situées à proximité des ruisseaux sont à explorer avant tout.

La carte bathymétrique est un outil indispensable pour les pêcheurs sérieux. Emportez-la toujours avec vous dans vos excursions de pêche pour repérer les meilleures structures.

On a déjà mentionné que le Brochet chasse à l'affût. Parmi les endroits où il aime à se réfugier pour attendre ses proies, soulignons les obstacles comme les *arbres submergés*. Le Brochet visite ces lieux régulièrement, et le pêcheur peut tirer avantage de cette habitude.

L'équipement

L'équipement que vous possédez déjà fera sans doute l'affaire pour pêcher le Brochet. Si vous êtes sur le point de changer votre matériel, examinons ensemble l'équipement que vous devrez vous procurer pour la capture du Brochet.

Commençons par examiner le lancer léger. Je vous conseille de préférence un moulinet d'une grosseur modérée, et je recommande sans aucune hésitation la tension placée à l'arrière du moulinet plutôt qu'à l'avant. Notons que la compagnie Shimano a innové en ce sens. Le moulinet *fighting drag* facilite un changement rapide de la tension et permet de changer légèrement la pression sur le monobrin. Croyez-moi, à certaines occasions, ce mécanisme est bien utile pour combattre un gros spécimen. Une autre nouveauté qui suscite de plus en plus d'intérêt est le déclencheur automatique, que l'on nomme le «Quick Fire». Il permet de déclencher le moulinet par un simple contact du doigt, tandis qu'auparavant on devait le faire avec l'autre main.

Un moulinet de plus en plus populaire auprès des pêcheurs d'ici est le lancer lourd. Ce moulinet offre plusieurs avantages qui vont sûrement vous surprendre. Premièrement, vous obtiendrez une récupération très rapide de la corde et jouirez d'une force exceptionnelle pour combattre le poisson. C'est de loin le moulinet préféré des experts pour la pêche au Brochet. Pour faciliter la tâche au pêcheur, ce moulinet a des mécanismes spéciaux comme le *fighting drag* et comprend un magnétisme qui permet d'effectuer des lancers aussi loin et avec plus de précision que le lancer léger sans que la corde fasse de perruques. Croyez-moi, vous serez emballé par le lancer lourd.

Un moulinet avec une tension arrière facilite un changement rapide de tension.

Les moulinets à lancer lourd dits «haute capacité» permettent d'obtenir une force de corde beaucoup plus grande. Leur fabrication est basée sur le même principe que celle du moulinet précédent, et vous pouvez lancer aussi loin. On utilise généralement ces moulinets pour la pêche à la traîne en profondeur, ou en employant la technique du «Jerkbait», utilisée surtout en automne.

Je suggère de fixer ce moulinet sur une canne à grand manche, de façon à pouvoir y appuyer l'avant-bras: ceci permet de reposer le poignet au cours d'un combat avec un puissant Brochet. Les cannes que je recommande sont composées de graphite. Je vous suggère la canne «Fighting Rod» qui est formée d'un brin qui s'élargit vers la poignée et rend la canne encore plus sensible. À la moindre touche, vous pourrez ferrer immédiatement pour ainsi éviter de laisser échapper les poissons. Pour pêcher le Brochet, je conseille une canne rigide pour ferrer solidement et rapidement ce poisson qui a le cartilage de la gueule dur, ce qui rend la pénétration de l'hameçon plus difficile.

Pour accompagner le moulinet à «haute capacité», je préconise une canne rigide d'une longueur de 2 m (7 pi). Elle est utilisée particulièrement pour la pêche à la traîne ou au lancer du «Jerkbait». Cette canne d'une seule pièce est rétractable pour faciliter son transport.

Les leurres et les appâts

Pour faire face à toutes les situations, il existe sur le marché un nombre incalculable de leurres pour déjouer le Brochet. Je suis obligé de faire un choix. Voici les leurres qui ont le mieux prouvé leur efficacité.

(En haut, de gauche à droite) 1. Le «Water Dog»; 2. Un «Rebel Spoon Bill»; 3. Le «Rattling Spot».
(En bas, de gauche à droite) 4. Le «Rapala»; 5. Le «Bagley»; 6. Le devon «Storm».

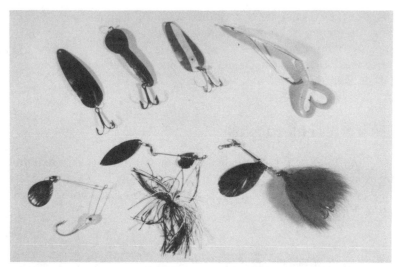

*(En haut, de gauche à droite) 1. La «Toronto Wobbler»; 2. La «Loco»;
3. La «Dardevl»; 4. La «Johnson Sylver minnow».
(En bas, de gauche à droite) 5. et 6. Deux «Spinnerbaits»; 7. La cuiller
tournante «Mepps».*

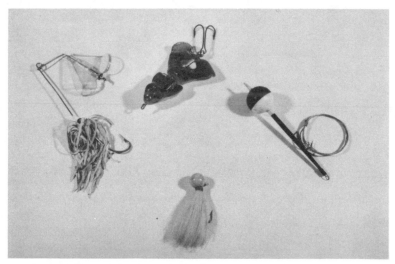

*Les leurres de surface: 1. Le «Buzzbait»; 2. Le «Frog»; 3. «Jig» jaune;
4. Flotte et hameçon simple.*

Les devons imitent bien les différentes espèces de poissons-appâts qui vivent dans nos eaux. Les Brochets préférant manger un gros Méné plutôt que plusieurs petits, les devons de forte taille sont préférables. Procurez-vous un vaste éventail de devons. À certaines occasions, vous devrez vous servir de devons qui ont la propriété de descendre en profondeur comme: le «Water Dog», le «Rebel Spoonbill» et le «Rapala». Le «Rattling Spot» quant à lui, en plus de ressembler au Méné et d'avoir des couleurs attirantes, possède un attrait supplémentaire: il produit des sons! Le fabricant y a inséré des billes qui excitent le Brochet.

Le choix judicieux d'un devon pourrait faire la différence dans l'eau. Bien entendu, je m'en voudrais d'oublier les cuillers ondulantes qui imitent un poisson blessé et provoquent le «requin».

Tout le monde connaît la «William», la «Doctor» et, bien entendu, la «Dardevl» rouge et blanc. Une des préférées dans les herbiers est la cuiller anti-jonc «Johnson Silver Minnow», munie d'une queue double de plastique. Cette queue amplifie l'action du leurre et fait souvent toute la différence. Il ne faudra surtout pas omettre de vous procurer quelques bonnes cuillers tournantes. Celles-ci produisent une grande vibration, ce qui agace le Brochet. La cuiller confectionnée avec le «Bucktail» ou le poil d'Orignal a toujours donné de bons résultats.

Très peu de gens savent que suivant la forme de la lame, les cuillers descendent à des profondeurs différentes. La lame ovale a tendance à garder une profondeur d'environ 3,5 m (de 10 à 12 pi). La cuiller mi-ovale, mi-ronde fait son travail entre 1,50 et 1,80 m (5 et 6 pi) de profondeur tandis que la cuiller ronde reste à la surface.

Un peu moins connu, le «Spinnerbait» provoque tout autant le Brochet. C'est un leurre qui a l'avantage de ne pas enrouler votre corde comme le font souvent les cuillers tournantes conventionnelles. Il s'agit d'un leurre bon marché que nous recommandons fortement.

Les leurres de surface sont très efficaces au-dessus des herbiers. L'été, quel beau spectacle de voir un gros Brochet s'élancer sur un tel leurre. La Grenouille fait partie du régime quotidien des Brochets et malheur à celle qui osera passer tout près. D'autres leurres éclaboussent l'eau de surface et incitent le Brochet à sauter sur l'appât.

Lorsque le Brochet boude les appâts, vous avez besoin d'une présentation plus délicate et naturelle. C'est alors que les appâts vivants et les dandinettes entrent en jeu. Une tête de «Jig», accompagnée d'un Méné mort ou vivant, fait des malheurs devant un Brochet capricieux. Un Méné de 10 à 15 cm (de 4 à 6 po) est cependant préférable. On doit appâter le Méné par la bouche pour sortir la pointe de l'hameçon dans la partie la plus dure de la tête. Faites marcher le Méné à fond en le faisant sautiller par petits coups saccadés. Le gros «Jig» de poil imite une grosse mouche ou un Méné en détresse. Depuis leur apparition, les leurres mous en plastique, accompagnés d'un «Jig», sont mortels. La réputation de ces appâts n'est plus à faire.

Un «Spinnerbait» sans jupe, appâté avec un Méné, devient aussi une combinaison gagnante! Quant à la méthode du plomb coulissant, cette technique consiste à présenter l'appât vivant le plus naturel possible. Vous utiliserez, pour les besoins de la cause, un plomb coulissant, un émerillon pour stopper le plomb, un avançon de 60 cm (2 pi) et un hameçon. Le Méné est accroché par la bouche et descendu dans le repaire du «requin»! Aussitôt que le Brochet prend l'appât, donnez-lui de la corde et comptez quelques secondes pour qu'il avale l'appât. Tendez la ligne, puis ferrez! L'hameçon sera pris dans la gorge du Brochet.

Une bonne vieille méthode européenne consiste à pêcher à l'aide d'une flotte, communément appelée le «bouchon», employée surtout pour la pêche sur place. Appâtez le Méné par la bouche avec un trépied ou un hameçon simple. De cette façon, le Brochet a plus de facilité à avaler l'appât. N'oubliez surtout pas de poser un avançon métallique.

Je vous suggère de lancer votre appât délicatement de crainte que le Méné ne se détache de l'hameçon. Ceci diminue l'impact au contact de l'eau et aura comme conséquence d'empêcher le Méné de se décrocher ou de s'assommer. Aussitôt qu'un poisson saisit l'appât, laissez-lui le temps nécessaire pour qu'il avale le méné. Ensuite, tendez la ligne, ferrez avec puissance et le tour est joué!

N'allez surtout pas décrocher l'hameçon avec vos mains. Une pince à long bec conçue pour enlever les leurres sera plus sûre car les dents acérées du Brochet ne pardonnent pas!

Le moteur électrique et le sonar

Passons à un équipement un peu plus spécialisé et qui mérite qu'on s'y attarde: le sonar. Aujourd'hui, on peut s'en procurer un à prix raisonnable. Le sonar permet de pêcher avec précision et augmente les chances de succès. La carte bathymétrique vous indique les structures où pêcher. Le sonar complète cette carte.

Sans sonar, la plupart des structures demeurent introuvables. Le sonar permet aussi d'éviter de frapper le fond avec le pied du moteur, puisqu'en tout temps vous connaissez la profondeur. Parfois, en plein milieu d'un lac, on retrouve des roches qui frôlent la surface de l'eau; sans cet appareil, vous pourriez causer des dommages considérables à votre embarcation. Un modèle un peu plus raffiné et précis de sonar «dessine» le fond du lac, les obstacles et, bien entendu, les poissons! La ligne continue du bas montre le relief du fond et des obstacles; les formes en demi-lune sont les poissons en suspension.

Le moteur électrique permet des déplacements silencieux tout en vous permettant de pêcher aux meilleurs endroits du lac. De préférence, il sera placé à l'avant plutôt qu'à l'arrière de l'embarcation. De cette façon on peut pêcher librement avec les deux mains et exécuter les changements et les déplacements... avec le pied!

Cela vous étonnera peut-être, mais ce moteur est très puissant et vous permet de vous mouvoir à différentes vitesses. La flèche rouge sur le dessus du moteur indique la direction qu'il prendra. Un vrai petit bijou! Plus vous l'utiliserez, plus il vous semblera indispensable.

Pour capturer du poisson régulièrement, Il ne suffit pas de lancer un leurre à l'eau: il faut présenter et placer l'appât de façon que le Brochet soit provoqué, pour l'inciter à attaquer! Les techniques pour manœuvrer l'embarcation contribuent pour une large part à l'efficacité de cette présentation.

Les explications suivantes vous donneront un aperçu général des nouvelles techniques couramment utilisées par les experts.

Techniques et méthodes

La pêche à la traîne

Trop souvent le pêcheur «trôle» aveuglément sans se préoccuper des facteurs essentiels comme la profondeur, la forme des structures et celle des berges. Plus vous passez un leurre près d'une ligne d'herbes ou d'une structure, meilleures sont vos chances de capturer un Brochet. Le simple fait de modifier la vitesse de traîne incite le poisson à mordre. En variant les types de leurres et la profondeur où vous déposez des leurres, vous pouvez découvrir les préférences du poisson. Ajustez donc votre présentation en conséquence.

La dérive

Il est très agréable de pêcher à la dérive. Vous n'avez qu'à vous laisser conduire par la force du vent ou du courant tout en lançant les leurres ou en dandinant près des structures idéales. Cependant, il ne faut pas dériver à l'aveuglette, et certains secteurs spécifiques devraient être choisis à l'avance pour les parcours à effectuer.

Vous pourrez corriger occasionnellement la direction de votre dérive en suivant en tout temps la profondeur désirée ou le bord d'une batture plus ou moins droite. Le moteur électrique devient essentiel pour exécuter les manœuvres de correction. Un détecteur de fond vous permettra de vérifier continuellement la profondeur et les pointes susceptibles de fournir de belles prises.

La pêche à l'ancre

Malheureusement, de nombreux pêcheurs délaissent la pêche à l'ancre. Ils ratent une belle occasion de prendre leur part de poissons.

Lorsque vous décidez de pêcher à l'ancre, l'endroit que vous choisissez est primordial. Vous devez d'abord repérer une structure où se concentrent les poissons. Je vous conseille de rechercher les structures trop petites pour qu'on puisse y pêcher avec succès avec une autre technique. Le bout des pointes, une petite pointe dans une ligne d'herbes, une petite île sous-marine parsemée d'herbes, l'entrée des ruisseaux, ou tout simplement une cassure de courant sont des endroits qui méritent qu'on s'y s'attarde. Vous pouvez alors pêcher au lancer avec des devons ou des cuillers ondulantes, à la dandinette, avec des «Jigs» ou encore au coup, avec des appâts vivants.

Pour prospecter un plus long territoire, utilisez la méthode des lancers en V afin de couvrir la structure choisie en faisant des lancers à différents endroits.

N'oubliez pas que plus votre ligne demeure dans l'eau, meilleures sont vos chances de succès! Plusieurs expériences ont montré que le Brochet peut se nourrir aussi bien au fond qu'en suspension. Le «Jig» est un bon moyen pour pêcher à toutes les profondeurs. Variez vos tactiques pour rendre le leurre le plus attirant possible. La flotte reste aussi une bonne méthode pour aller chercher le Brochet en suspension.

Quand vous désirez remettre le poisson en liberté, il est préférable de ne pas saisir le Brochet par les yeux. Il y a 90 p. 100 des chances qu'il devienne aveugle. Prenez-le plutôt par les opercules. C'est la meilleure façon pour qu'il survive. Mais prenez garde de ne pas vous blesser!

Brochet de printemps, d'été et d'automne

Le Brochet n'a pas le même comportement au printemps, en été ou en automne. Les lignes qui suivent vous fourniront des renseignements supplémentaires quant aux techniques et au choix de leurres que vous devrez employer en fonction des saisons.

Le printemps

Peu après la période de frai, très tôt au printemps, le Brochet se repose afin de récupérer ses forces. Aussitôt son énergie retrouvée, il se met en quête de nourriture. C'est à ce moment que le poisson est vulnérable et mange tout ce qui lui passe sous le nez. À ce moment de l'année, le soleil réchauffe d'abord la surface de l'eau refroidie par la nuit. Ce n'est qu'à partir de 10 ou 11 heures que quelques Brochets entrent dans les baies peu profondes. Passé midi, un nombre incalculable de Brochets viennent prendre du soleil en eau peu profonde et chassent pour se nourrir. On remarque que les journées calmes et ensoleillées sont plus productives que les journées nuageuses et venteuses.

Il est recommandé de rechercher, de préférence, des baies larges comprenant de petites baies intérieures à l'abri du vent. Les entrées des ruisseaux où l'eau est tumultueuse sont des points névralgiques que vous devrez également explorer. Le Brochet, à faible profondeur, est méfiant. Je vous conseille fortement d'arrêter le moteur et de laisser le vent vous diriger vers ces endroits de prédilection ou, tout simplement, d'utiliser le moteur électrique pour vous déplacer et effectuer des lancers aux endroits désirés. La récupération des leurres devra se faire lentement car, à cette période, le métabolisme du Brochet est au ralenti.

On obtient d'excellents résultats avec les cuillers ondulantes, surtout en laissant descendre la cuiller, en récupérant un peu, puis en la laissant redescendre plusieurs fois de suite. Le Brochet, provoqué par cette action, viendra chercher votre leurre avec agressivité. Par contre, si vous remarquez que le Brochet suit votre cuiller sans l'attaquer, changez celle-ci pour un «Spinnerbait». La vibration de ce leurre «convaincra» le Brochet capricieux.

Si rien ne va, essayez une présentation plus lente et plus naturelle. Le «Jig» accompagné d'un Méné de 10 à 15 cm (4 à 6 po) ou la technique du marcheur de fond feront réagir

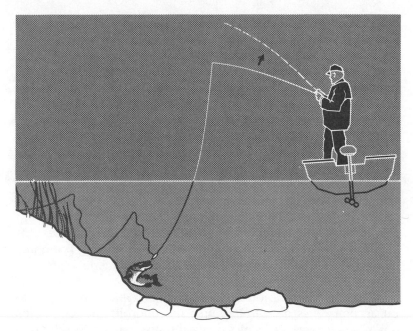

Voici comment présenter la cuiller ondulante, au printemps. Laissez-la descendre près du fond, puis ramenez-la et laissez-la descendre plusieurs fois de suite.

votre hôte positivement. Bien entendu, la flotte reste une méthode tout aussi efficace au printemps.

Un peu plus tard dans la saison, lorsque les Brochets descendent un peu plus profondément, c'est-à-dire entre 2 et 3 m (6 et 10 pi), la traîne devient une technique mortelle pour le Brochet. Il suffit de traîner lentement des devons de grosses dimensions près de ces mêmes structures.

L'été

Croyez-le ou non, de beaux spécimens sont capturés à 15 m (50 pi) de profondeur en plein été.

Les biologistes affirment que le Brochet ne mange presque pas l'été. L'eau chaude étant moins oxygénée que l'eau froide, les gros poissons se rapprochent des eaux plus profondes et deviennent moins actifs. On trouve même des Brochets avec l'estomac vide: ils côtoient les Truites Grises, enfouies dans les profondeurs ou en suspension.

Certains pêcheurs essaient même la pêche à la mouche pour aviver la sensation de bataille. Surtout pour visualiser les sauts spectaculaires que le Brochet exécute lorsqu'il est attiré par une mouche comme une «Mickey Finn», un gros «Mudler Minnow», et peut-être même par une «Souris», confectionnée à partir de poils d'Orignal. Observez bien l'eau: lorsqu'elle est foncée, pêchez à une faible profondeur; si elle est claire, pêchez à une grande profondeur.

Le matin, on commence par lancer des leurres au-dessus des herbiers. Les cuillers ondulantes «Johnson Silver Minnow», accompagnées d'une queue de plastique, font des miracles. Les vers de plastique vous permettront de pêcher plus profondément dans les herbiers sans vous accrocher dans la végétation dense.

Plus tard dans la journée, essayez les «Spinnerbaits», seuls ou accompagnés d'un Méné, près des endroits où vous notez des changements de profondeur abrupts, parsemés d'herbes. La récupération du leurre devra se faire comme suit: laissez descendre la cuiller au fond, remontez et laissez redescendre. La cuiller tournera comme l'hélice d'un hélicoptère, et c'est souvent à ce moment que le Brochet agressera le leurre.

La traîne semble être moins efficace l'été. Mais si vous avez envie de «trôler», choisissez des leurres qui descendent à des profondeurs moyennes, en longeant les lignes d'herbes. De cette façon, vous le comprendrez, les petits poissons seront plus souvent au rendez-vous que les gros. Les structures idéales pour pêcher le Brochet, l'été, sont les bouts des pointes d'herbes. Souvenez-vous que tous ces endroits doivent être proches des bas-fonds, et n'ayez pas peur de pêcher à des profondeurs variées.

L'été rend les poissons moins actifs, mais en changeant de technique de pêche, peut-être trouverez-vous l'approche qui incitera le Brochet à mordre? Et n'ayez pas peur de multiplier les tentatives! Y a-t-il une joie plus grande que de réussir après de durs efforts?

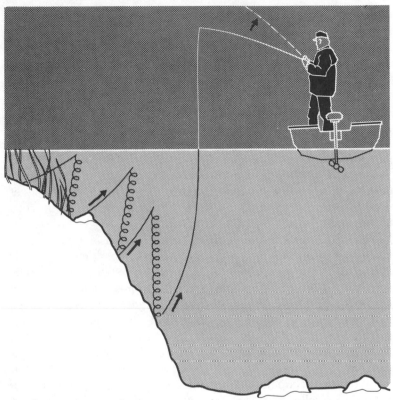

En arrêtant la récupération du leurre, la cuiller du «Spinnerbait» produit un mouvement de spirale et c'est souvent à ce moment précis que le Brochet attaque.

L'automne

À l'automne, l'eau devient plus froide. Le vent, la pluie et le refroidissement de la température incitent le Brochet à emmagasiner de la graisse pour passer l'hiver. Il doit alors prendre les bouchées doubles. Ceux qui pratiquent la pêche automnale savent très bien que leurs chances de capturer une grosse pièce sont excellentes. D'après moi, l'automne est la meilleure saison pour les grosses prises. Les Brochets adultes sont plus actifs que les petits. Je vous conseille de pêcher par des journées chaudes et calmes. Surtout si un front chaud persiste plusieurs jours.

L'été des Indiens est une période fantastique pour pêcher le «requin d'eau douce». Celui-ci a tendance à remonter vers la surface pour se nourrir, près des endroits où l'herbe est encore verte. Il y a deux méthodes pour déjouer ces poissons voraces durant cette période de l'année. La première consiste à traîner de grosses cuillers ondulantes ou de gros devons, en zigzaguant à bas régime sur les hauts-fonds. Si vous êtes accompagné d'un camarade, utilisez deux leurres différents pour découvrir plus rapidement les préférences du Brochet! Ou encore, si vous voulez couvrir un territoire plus vaste, invitez votre compagnon à lancer près du bord pour scruter la lisière du rivage, pendant que vous traînez votre leurre à l'arrière du bateau.

La deuxième méthode consiste à lancer des leurres de forte taille que l'on nomme «Jerkbait». Avec ces devons, on a l'impression de pêcher avec un bout de bois, tellement la composition du leurre est simple. Cette techique est fréquemment employée par les pêcheurs de Maskinongés, et croyez-moi, ça marche! Si vous observez la fabrication de ce leurre, vous remarquerez qu'il n'existe aucune bavette de plongée à l'avant pour donner du mouvement au leurre. Ce devon ressemble à un gros Méné blessé s'agitant près de la surface. Pour l'agiter, vous devrez récupérer par coups saccadés. Ceci produit une action à laquelle le Brochet ne peut résister. Et s'il y en a dans le coin, pourquoi ne pas ferrer un gros «Muskie»?

Aventure de pêche

La région de l'Abitibi, reconnue pour la qualité de sa pêche, m'a séduit il y a peu de temps. Connu par les plus grands pêcheurs de Brochets et de Truites Grises, ce magnifique coin du nord de la province recèle de véritables trophées! Val d'Or, avec ses richesses minières et forestières, est le centre nerveux de ce coin de pays, fréquenté par des milliers de pêcheurs. Ici, le Brochet, la Grise et le Doré sont rois et maîtres. La grandeur des lacs est tout aussi surprenante que la grosseur des pièces que l'on y capture. On accède à cette superbe région, située à 800 km (500 milles) de Montréal, en traversant la réserve faunique de La Vérendrye où la beauté des paysages et la quantité innombrable de lacs attirent l'attention du touriste. Val d'Or offre toutes les commodités nécessaires à la réussite d'un séjour de pêche.

Ce jour-là, je m'étais aventuré sur un lac qu'on m'avait dit riche en Grises et en gros Brochets.

L'utilisation d'un sonar, quand on veut découvrir rapidement les structures où le poisson se cache, est capitale! Les nouveaux appareils qui donnent des signaux visuels, tels le LCR, le TCR et d'autres, aident grandement le pêcheur. Dans des lacs où l'eau est limpide et où aucune saleté ou débris en suspension ne vient brouiller les signaux, ces instruments de haute technologie permettent une meilleure efficacité.

En passant entre deux îles, après avoir testé quelques baies, je remarquai sur l'écran de mon appareil des signes évidents de la présence de gros poissons évoluant à 15 m (45 pi) de profondeur! Cette portion de structure que l'on appelle «selle», c'est-à-dire une surélévation que l'on retrouve entre deux parties de terre, est un endroit de rêve! Sans perdre de temps, je lançai une dandinette agrémentée de poils de Chevreuil, et ma compagne laissa descendre dans l'eau une dandinette garnie d'un ver dodu. En moins de 10 minutes, mon amie ferrait un poisson. Et c'était du gros «gibier»! Nous étions intrigués: qu'était cette espèce de poisson qui lui donnait du fil à retordre? Une Grise, un gros Brochet? La réponse ne vint que plusieurs minutes plus tard, après un combat difficile. C'est seulement lorsque le poisson apparut à la surface de l'eau que la nervosité s'empara de ma compagne: un Brochet digne de ce coin de pays, d'au moins 9 kg (20 lb), se débattait pour reprendre sa liberté. Après 10 bonnes minutes de combat, je puisais un superbe Brochet de 11,5 kg (25 lb). Quelle surprise! Croyant avoir ferré une Grise, à plus de 15 m (50 pi), nous étions fous de joie de cette prise.

L'attirail nécessaire pour capturer de gros Brochets se compose d'une canne et d'un moulinet à lancer lourd. La canne doit être assez rigide si on veut «piquer» adéquatement le poisson. Du monobrin de 5,5 kg (12 lb) de résistance est recommandé. Les

Une belle prise!

dents acérées du Grand Brochet couperont rapidement le monofilament! Peut-être, mais certains moucheurs utilisent un bas de ligne d'une résistance semblable et ils capturent du poisson de taille imposante. Il est certain qu'un avançon d'acier fixé au monofilament et à la dandinette évitera certaines surprises désagréables. Mais, avec l'intelligence et la ruse de ce poisson, je me demande sérieusement si la présentation ne joue pas un rôle prépondérant…

Après la capture de ce trophée, je remarquai encore des signes sur mon appareil sonar. Nous relancâmes nos leurres dans l'espoir d'en pêcher un autre.

Cette fois-ci, c'est mon leurre que saisit le poisson. Je ferrai sans perdre de temps. Super! C'était une grosse pièce. La bataille se déroulait au fond de l'eau. Le poisson, un Brochet probablement, réagit violemment quand il s'aperçut qu'il avait dans la bouche un hameçon au lieu d'un Méné. Je tins ma canne bien haute sans lui donner de mou. Et surtout, je soulevai le pied du moteur. Le Brochet a plus d'un tour dans son sac! Il faut toujours mettre toutes les chances de son côté. Puis il remonta à la surface; c'était encore un Brochet, et un gros! Il se débattait, donnait des coups de tête, des coups de queue. Je respectais mon adversaire: s'il avait pu atteindre l'âge adulte, c'est qu'il était rusé!

Je le ramenai prudemment vers l'embarcation. Aussitôt qu'il la vit, il fonça vers le fond. Ce poisson était une bombe!

Après 10 minutes, nous l'avons puisé. La joie régnait dans le bateau. En moins d'une heure, deux prises totalisant 20 kg (45 lb) avaient été capturées au «Jig»! Je devais reconnaître que cette technique semblait plus qu'efficace.

Le Grand Brochet du Nord, reconnu pour sa combativité, est quand même plus difficile à capturer en été. Il devient plus capricieux qu'au printemps, et chasse à des profondeurs où le pêcheur inexpérimenté n'osera même pas tenter sa chance.

Cette journée de pêche mémorable en Abitibi n'est pas un cas unique! J'ai rencontré de bons pêcheurs qui avaient leurré de très grosses pièces.

Conseils

Les structures idéales pour pêcher le Grand Brochet sont: les lignes d'herbes, spécialement celles qui sont situées près des profondeurs, les embouchures de ruisseaux, les cabanes à Castors et les arbres submergés.

Un moulinet rigide à lancer lourd de 2 m (7 pi) avec un système de freinage arrière et muni d'un système de magnétisme est recommandé.

Les devons, les cuillers et les dandinettes sont les leurres préférés du Grand Brochet.

Le sonar aide le pêcheur en identifiant rapidement les structures et les poissons; le moteur électrique permet des déplacements silencieux.

La pêche à la dérive, à l'ancre et à la traîne sont les techniques les plus employées.

L'automne et l'été sont les saisons où le pêcheur peut capturer de grosses pièces le plus facilement.

L'Abitibi est sans contredit une excellente région pour la capture de Grands Brochets. Je vous invite à visiter ce merveilleux coin du Québec. Vous ne le regretterez pas!

Les Truites et les Saumons des Grands Lacs

Introduction

Prendre une Truite ou un Saumon de plus de 4,5 kg (10 lb), c'est un peu le rêve de tous les pêcheurs. Un de mes amis m'avait souvent vanté la pêche que l'on peut faire en automne et au printemps dans les fameux ruisseaux qui se jettent dans le lac Ontario. À son invitation, je me suis rendu sur place pour vérifier la qualité de cette pêche.

Nous nous étions donné rendez-vous à son domicile, en Ontario. La première question que je lui posai ne pouvait être plus directe: la pêche était-elle bonne? «Excellente. Nous aurions besoin d'un peu de pluie, mais il y a des poissons dans les ruisseaux. La montée du Saumon est presque terminée, mais il y a beaucoup de Truites Brunes et quelques Truites Arc-en-ciel. Nous pourrons donc pêcher en ruisseau et aussi dans le lac Ontario, s'il n'y a pas trop de vent.»

Mon compagnon me proposait d'utiliser des œufs de Saumons ou de Truites enveloppés dans de petits sacs de gaze. Les œufs de couleur naturelle seraient préférables, car l'eau était claire depuis quelques jours. Si l'eau devenait trouble, la couleur chartreuse inciterait davantage les poissons à mordre. Le choix de la couleur des œufs doit se faire selon la limpidité de l'eau. Plus l'eau est trouble, plus l'appât doit être visible. Il faut choisir des couleurs vives pour que les poissons aperçoivent l'appât quand ils passent près de lui. On peut aussi, lorsque l'eau est très trouble, attacher un bout de laine juste en haut de l'hameçon, avec le sac d'œufs en dessous. Si l'eau devient très vive, je vous suggère de pêcher avec le bout de laine seulement.

Si vous désirez pêcher dans les tributaires du lac Ontario, le choix de la grosseur des œufs est primordial. Les œufs de Saumons sont plus gros que ceux des Truites. En automne, j'utilise des œufs de Truites Brunes. Ils sont petits et, quand l'eau est claire, il faut que le sac d'œufs soit petit. Les œufs de Saumons sont trop gros. Les Truites Brunes sont en train de frayer à cette saison, et ce sont leurs œufs qu'on trouve dans les ruisseaux.

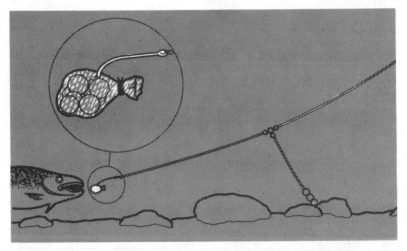

L'appât numéro un pour capturer les Salmonidés des affluents du lac Ontario est sans contredit le sac d'œufs de Truites ou de Saumons.

Pêcher avec des œufs de Truites est une méthode vraiment spéciale. Il est important que les œufs soient frais. Si c'est le cas, il est inutile d'y ajouter des produits artificiels. Cependant, si on veut conserver les œufs jusqu'au printemps suivant, on doit y ajouter du sel ou du borax. Traités avec un produit de conservation et placés au congélateur, il peuvent se conserver un an ou deux. Sans traitement, ils se conservent à peine deux semaines.

Quant au monobrin à utiliser, du fil de 3 kg (6 lb) de résistance est conseillé, parfois même de 2 kg (4 lb) lorsque l'eau est claire. Croyez-moi, ça c'est du sport!

En ce qui a trait aux hameçons, lorsque l'eau est très claire, je vous conseille des hameçons n° 10, n° 12 ou n° 14. Parfois, il est nécessaire d'utiliser un seul œuf avec un hameçon plus petit encore. Pincez alors un plomb fendu à 45 cm (18 po) de l'hameçon.

Lorsqu'on veut pêcher à la flotte, il faut choisir celle-ci très petite. On place une série de petits plombs sur le fil pour que la corde soit verticale. Pour pêcher plus profondément, on déplace la fotte sur le monofilament. Si on doit aborder une fosse plus importante, on peut faire glisser la flotte plus haut sur le fil. Tout dépend de l'agressivité du poisson. Un poisson agressif attaquera l'appât avec plus de violence, sinon le seul signe d'une touche sera la corde qui s'arrêtera de dériver ou la flotte qui s'enfoncera. Chaque fois que la corde s'arrête, il faut ferrer. Même si vous croyez que le fil est accroché au fond, n'hésitez pas, ferrez!

Assortiment de flottes, de plombs fendus et de petits hameçons dont on se sert pour la pêche dans les ruisseaux, en Ontario.

J'avais hâte de mettre en pratique les conseils de mon ami. Comme dans les rapides de Lachine, la grosseur des Truites Brunes et Arc-en-ciel des ruisseaux était plus que respectable.

Situé près de la ville d'Oshawa, ce petit ruisseau est à quelques pas de la route. Il n'a pas du tout l'apparence d'un cours d'eau où foisonnent des poissons de 4,5 kg (10 lb) et plus. C'est incroyable!

Ce ruisseau correspondait, cependant, exactement à la description qu'on m'avait faite; pas très large, avec de l'eau qui atteint à peine les genoux. Et des poissons! En Ontario, à partir de Kingston jusqu'à Niagara, tous les ruisseaux, petits ou grands, sont propices à la capture de la Truite ou du Saumon.

À peine étions-nous là depuis cinq minutes que mon compagnon capturait une Truite Arc-en-ciel de 1 kg (2 lb). Bon début, mais encore bien loin de ce qu'il m'avait promis. Optimiste, il la remit à l'eau.

Tôt au printemps, ou tard à l'automne, les poissons des Grands Lacs remontent ces petits cours d'eau pour frayer. C'est à ce moment que la pêche en ruisseau est excellente.

Un exemple de ruisseau à Saumons et à Truites

Cette pêche n'est pourtant pas aussi facile qu'elle en a l'air. Ceux qui ont du succès le doivent à une connaissance très précise des techniques et de l'environnement.

La deuxième fois, mon compagnon ferra un adversaire de taille. Les grosses Truites s'étaient finalement décidées à mordre. Quel duel! Cette Truite se défendait farouchement. Elle donnait de sérieuses secousses mais, après quelques minutes de combat, il ramena cette Arc-en-ciel de 3 kg (6 lb) vers la rive. À cet endroit, il est absolument défendu d'utiliser une épuisette. Cela donne un avantage considérable au poisson. Cependant, grâce à ses connaissances et à sa patience, mon ami vint à bout de toutes les difficultés.

Voici quelques conseils judicieux qui pourraient améliorer les chances d'un néophyte de réussir de belles captures.

À cause de la fragilité du monofilament employé, il faut utiliser une canne longue et flexible qui absorbera les chocs causés par les soubresauts du poisson. Il faut aussi exercer une pression constante afin d'épuiser l'adversaire et de l'amener à se diriger vers la rive.

Une canne longue permet aussi de pêcher à une assez grande distance de l'endroit où vous circulez. Ainsi, vous n'effraierez pas le poisson tout en conservant une excellente maîtrise de la dérive de votre appât.

Quand on pêche à deux, il est bon de délimiter le ruisseau en sections. La patience est de rigueur; il faut souvent plusieurs lancers avant de tenter le Saumon embusqué derrière une roche. Le premier lancer n'est pas toujours le plus efficace. Le poisson se décide souvent après avoir vu l'appât trois ou quatre fois.

Chaque lancer doit présenter l'appât le plus naturellement possible. Parfois, il est bon d'allonger sa dérive en donnant de la corde.

Chaque fosse cache peut-être un poisson. Ces petits ruisseaux sont fascinants à explorer car, à chaque tournant, on découvre de nouveaux sites de pêche tous plus prometteurs les uns que les autres. Chaque obstacle peut servir d'abri pour le poisson. Il ne faut en négliger aucun.

Lorsque vous devez pêcher dans un endroit où le débit d'eau est très rapide, il est d'usage d'utiliser un sac d'œufs lesté

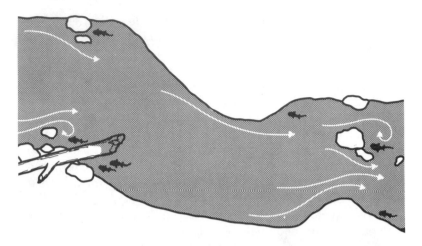

Tôt le matin, en eau vive, tous les obstacles offrent un abri aux poissons. Lors de la montaison des Salmonidés, les endroits en aval des roches, près des troncs d'arbres et où le courant est faible ainsi que les pointes permettent aux Saumons et aux Truites de se reposer et de reprendre leurs forces.

par un ou deux plombs fendus. Lorsque les poissons quittent le lac Ontario, à plus d'un kilomètre, ils arrivent fatigués. Ils se reposent en prenant position en aval des roches et dans les petits remous. Ils reprennent ainsi leurs forces. Il faut donc pêcher aux endroits où l'eau est moins vive: à l'arrière des roches et des autres obstacles qui ralentissent le courant. Les poissons s'y arrêtent avant d'arriver à la fosse.

Mais revenons à l'endroit où le débit d'eau est très rapide. On lance dans le courant un peu plus lent. On suit la dérive des yeux et on sent les plombs qui frappent le fond.

Quand le courant est fort, la touche est franche car le poisson gobe l'appât au passage. Alors, il faut ferrer et le combat s'engage. Dans les remous, le débit d'eau est moins rapide; c'est là que le poisson se cache. Au lieu de laisser dériver l'appât sur une longue distance, il est préférable de se déplacer en faisant de courtes dérives.

Soudainement, je me trouvai aux prises avec une pièce imposante. Le fil de ma canne se tendit. Je ferrai! On ne peut pas manœuvrer dans un ruisseau comme si on était sur un lac. Si le poisson est de taille et qu'il offre une grande résistance, on doit longer rapidement le bord de la rivière pour qu'il ne s'enfuie pas avec l'appât. Hop! quel saut acrobatique! C'était sûrement un Saumon Chinook, surnommé ici le roi des Saumons. Comment peut-on capturer de si grosses pièces dans d'aussi petits cours d'eau? Avec un monobrin de 3 kg (6 lb) de résistance, je devais être vigilant et patient. Au moindre faux mouvement de ma part, je perdais ce trophée que je convoitais depuis plusieurs années.

Maintenant, je le voyais très bien. Quelle pièce! Lentement, je le ramenai vers mon compagnon qui le saisit vivement par la queue! Incroyable! Un Saumon Chinook de 9 kg (20 lb) venait choir sur le sol. Après avoir pris les photographies de circonstance et l'avoir observé attentivement, je le graciai. Toute ma vie je me souviendrai de cette capture.

C'est en explorant le ruisseau que je m'aperçus qu'il différait d'un endroit à l'autre. Pour plus d'efficacité, il faut au besoin savoir adapter sa technique de présentation.

Au second endroit où nous avons pêché, la profondeur de l'eau était plus importante, c'est pourquoi j'utilisai une technique différente. Au lieu de pêcher comme précédemment, je me servis d'une flotte pour obtenir une présentation lente, car le courant était moins fort.

Cette fotte était très sensible et nous la lestâmes de gros plombs fendus près de la flotte et de petits près de l'hameçon. Cela force la flotte à dériver en position verticale. Le plus petit mouvement est signalé. Si la flotte prend une position horizontale, la ligne est coincée; si elle plonge, c'est une touche et vous devez ferrer.

Je remarquai que des poissons avaient pris position juste devant nous. Il y avait deux Saumons au bas de la fosse. On devait lancer un peu plus haut pour que l'appât dérive juste devant eux. «Ils n'ont pas faim», dis-je après quelques lancers. Il fallut laisser dériver l'appât près d'eux plusieurs fois avant qu'ils deviennent agressifs et l'attaquent.

C'était une bonne technique qu'il valait la peine d'essayer. Les poissons, cependant, avaient changé de position. Ils étaient plus loin dans la fosse. Il est primordial dans ce cas de possé-

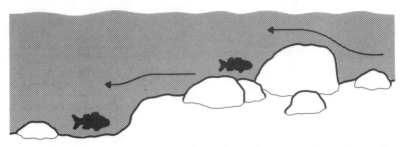

Le jour, lorsque le soleil chauffe, les Salmonidés ont tendance à se réfugier dans les fosses, qui leur procurent repos et protection.

der des lunettes à verre polarisé. Sans ces lunettes, les poissons sont très difficiles à repérer.

Pour pêcher efficacement dans ces petits ruisseaux, le pêcheur doit se déplacer assez régulièrement et s'adapter à différentes situations de pêche. Il faut qu'il observe attentivement les berges et le lit du ruisseau pour situer les obstacles qui fournissent un abri aux poissons.

Les structures

Parmi les meilleures structures, notons que les pointes occupent une place surprenante. Elles permettent aux poissons de se reposer en créant des remous où le courant est moins vif.

D'autres obstacles peuvent aussi servir d'abri: les rochers et les branches situées sur les bords ou au milieu du ruisseau. Ces obstacles ralentissent le courant et offrent aussi un peu d'ombre au moment de la journée où le soleil est au zénith.

Si le soleil est trop fort, les poissons se réfugient souvent dans les fosses. Ils s'y reposent à l'abri du courant et du soleil. À cette profondeur, le poisson n'est pas visible. La technique idéale pour pêcher dans ces fosses est la flotte. Le poisson qui s'y repose est souvent moins agressif et réagira mieux à une présentation lente de l'appât. Il arrive quelquefois que les poissons passent de la section profonde à celle qui l'est moins.

Profitez donc, vous aussi, du printemps ou de l'automne pour vous rendre dans cette région et y pêcher dans ces fameux ruisseaux qui se jettent dans le lac Ontario. Les souvenirs qui vous resteront de cette excursion de pêche peu commune resteront gravés dans votre mémoire.

Grâce aux techniques exposées ici, vos chances de capturer un magnifique Saumon ou une Truite monstre sont excellentes. Après une telle prise, vous ne voudrez renoncer à votre excursion saisonnière sous aucun prétexte.

Personnellement, je ne délaisserai aucunement mes lacs et rivières de prédilection du Québec: ils m'ont rapporté tant de satisfaction! Cependant, une fois l'an, de préférence en automne ou au printemps, je viendrai taquiner, dans les rivières tributaires du lac Ontario, ces Truites et ces Saumons plus que respectables!

Imitation d'une larve d'insecte dont ces poissons raffolent.

Conseils

La pêche que l'on peut faire dans les ruisseaux et les rivières tributaires du lac Ontario vaut la peine qu'on s'y intéresse.

La meilleure technique pour capturer les Salmonidés consiste à appâter son hameçon d'un petit sac de gaze qui contient des œufs de Truite ou de Saumon.

La grosseur des œufs est importante. Ainsi, à l'automne, utilisez des œufs de Truite Brune. Le choix et la couleur des œufs dépend toujours de la limpidité de l'eau.

Utilisez des hameçons n° 10, n° 12 ou n° 14.

Un monofilament de 2 kg (4 lb) et une canne de 2,80 à 3,10 m (9,5 à 10 ,5 pi) de longueur sont requis.

Il est strictement interdit, en Ontario, d'utiliser une épuisette ou un serre-queue pour sortir le poisson de l'eau.

On peut y capturer des sujets de 1 à 18 kg (de 2 à 40 lb).

À Oshawa, on peut se procurer des œufs de saumon.

L'Achigan à Grande Bouche

Micropterus salmoides (Lacépède)

Description

L'Achigan à Grande Bouche est le poisson le plus populaire en Amérique du Nord. Il est très répandu chez nos voisins du Sud, qui vénèrent l'Achigan comme nous adulons la Mouchetée! Au Québec, sa distribution géographique restreinte va du sud du fleuve Saint-Laurent vers les Cantons de l'Est et jusqu'à Hull-Ottawa. La période de frai s'étale de la fin du printemps jusqu'à la moitié de l'été.

L'habitat de l'Achigan à Grande Bouche se trouve dans la partie supérieure des couches d'eau chaude des lacs peu profonds, dans les baies peu profondes des grands lacs et dans les grandes rivières. On capture rarement cette espèce à des profondeurs dépassant 6 m (20 pi). Cet Achigan est principalement associé à des fonds mous, aux souches, et à une variété de plantes émergeantes et submergées, en particulier des nénuphars, des quenouilles, des roseaux, ainsi que diverses plantes d'étang. L'habitat de l'Achigan à Grande Bouche renferme ordinairement une variété de Crapets, de Maskinongés et de Grands Brochets... et plusieurs espèces de Ménés.

Ce n'est pas d'aujourd'hui que l'Achigan attire les pêcheurs. Monsieur J. A. Henshall, un technicien, mentionnait en 1881 que «pouce pour pouce et livre pour livre, l'Achigan est le poisson le plus combatif».

L'Achigan à Grande Bouche se distingue bien de son cousin l'Achigan à Petite Bouche. L'Achigan à Grande Bouche a la partie dorsale du corps et de la tête dans des teintes variant du vert brillant au vert olive. Quant à la face ventrale, elle va du blanc au jaune. L'intérieur de la bouche est blanc, et les yeux sont brunâtres. En ce qui a trait aux nageoires caudales et dorsales, elles sont d'un vert olive. L'Achigan à Petite Bouche est plus petit. Une bande latérale noire se prolonge sur l'opercule et l'œil de l'Achigan à Grande Bouche, ce qui le distingue de son cousin.

Le record mondial

Le record mondial homologué appartient à Georges W. Perry. Il pêcha, le 2 juin 1932, dans le lac Montgomery, en Georgie, aux États-Unis, un Achigan à Grande Bouche pesant 10,09 kg (22,4 lb). Je dois souligner que les plus gros Achigans à Grande Bouche sont capturés en Floride. Au Québec, rares sont les pièces dépassant les 3 kg (6 lb). Il faut signaler que la courte période estivale défavorise la croissance de l'Achigan québécois.

Technique de pêche

Les herbiers

Comme l'Achigan recherche sans cesse sa nourriture et qu'il ne veut pas investir trop d'énergie à capturer ses proies, il se tient dans les herbiers situés au fond des baies. Il y trouve une multitude de proies faciles: une grande variété de plancton, d'insectes, de poissons, de crustacés, de batraciens et de reptiles. C'est de préférence le matin et le soir qu'il saisit ses proies à la surface de l'eau.

Le jour, à l'abri du soleil, sous des souches, des couverts de joncs, etc., il se nourrit. L'Achigan adulte ingurgite toute une variété de nymphes de Phryganes, de Libellules, de Demoiselles. Voilà une des raisons pour lesquelles les pêcheurs à la mouche artificielle ont un grand succès! Depuis un certain nombre d'années, j'aime bien pratiquer la pêche à la Grande Bouche dans les herbiers d'un lac. Que les pêcheurs qui douteraient de la qualité de l'eau dans ces herbiers se détrompent: ces eaux sont d'une limpidité surprenante!

Je tiens à spécifier que l'herbe et les plantes que l'on rencontre sur le bord de certains lacs ne sont pas un signe de pollution. Au contraire, ces herbes et ces plantes purifient et oxygènent l'eau. Ces herbes ont parfois la propriété de neutraliser, en partie, l'acidité des pluies qui nous tombent sur la tête comme du vinaigre! C'est par le processus de la photosynthèse que les plantes vertes rejettent de l'oxygène dans le milieu ambiant, contribuant ainsi au développement de la vie.

On ne pêche pas l'Achigan, on le chasse! Drôle d'énoncé, direz-vous? Pourtant, cette expression employée par les chasseurs d'Achigans à Grande Bouche désigne le genre de pêche que vous vivrez dans cette jungle aquatique. À l'affût, sous ce «toit» de verdure, notre féroce prédateur surveille attentivement le film de l'eau et attend l'instant propice pour attaquer. Un bon pêcheur sait distinguer, à vue, ces repères. Des «tirs» de précision vous assureront le succès!

Me croirez-vous si je vous dis que le poisson le plus méconnu au Québec est l'Achigan à Grande Bouche? Pourtant, c'est la pure vérité. Ce combattant de premier ordre ne suscite l'intérêt que d'un petit nombre de pêcheurs au Québec. Cependant, lorsqu'on a pris goût à le capturer, on ne peut plus s'en passer.

L'Achigan à Grande Bouche est casanier. Il délimite son territoire et ne le quitte presque jamais pendant l'été. Instinctivement, l'automne, il s'éloigne un peu de son « logis de luxe» estival, à la recherche d'un gîte ayant la température idéale. Il a tendance à évoluer à des profondeurs atteignant 5 m (15 pi) environ. En suivant ses déplacements, vous augmenterez vos chances de le capturer.

Aventure de pêche

Lorsque je fus initié par un de mes amis à la pêche à l'Achigan, je connaissais beaucoup de succès à la pêche au Doré, au Maskinongé, à la Truite Mouchetée et à l'Achigan à

Petite Bouche. À vrai dire, je n'étais pas tellement attiré par ces «palettes»; comme tout bon pêcheur québécois, j'étais réticent à pêcher dans les herbiers. Mais je compris que ces endroits à la végétation dense allaient m'ouvrir de nouveaux horizons!

Aujourd'hui, après avoir connu le succès dans les tournois de Bass Québec et de l'East Coast Pro Bass U.S.A., ainsi que dans plusieurs autres tournois organisés en Ontario, je dois avouer que l'Achigan à Grande Bouche est probablement mon poisson favori! Et cela pour plusieurs raisons: sa pêche me fournit l'occasion d'essayer une diversité d'approches, de présentations et de leurres. Le combat qu'il livre est des plus stimulants. Ses sauts acrobatiques, ses nombreuses pirouettes et sa ténacité le rendent unique. De plus, on peut le pêcher à proximité des grands centres urbains.

La région des Cantons de l'Est regorge d'Achigans à Grande Bouche. Le plan d'eau favori des pêcheurs est sans contredit le magnifique lac Memphrémagog. En empruntant l'autoroute des Cantons de l'Est, on parvient en quelques heures à Magog, où les infrastructures touristiques rendent le séjour intéressant. Cette superbe région, où l'accueil est des plus chaleureux, compte plusieurs bonnes tables et l'ambiance y est fort agréable. Pour les pêcheurs-touristes qui aiment pratiquer le golf, un magnifique parcours de 18 trous est situé à quelques kilomètres, à Orford. Quant aux véliplanchistes, ils peuvent pratiquer leur activité préférée sur un plan d'eau à leur mesure!

Magog est située à quelque 200 km de Montréal. Le lac Memphrémagog est connu partout au Québec pour la qualité de sa pêche. On y vient principalement pour capturer la Ouananiche et les Truites Brunes, Arc-en-ciel et Grises. Vous doutiez-vous que cet immense plan d'eau héberge un nombre incalculable d'Achigans à Grande Bouche qui n'ont jamais vu l'ombre d'un leurre?

Il est important de noter que l'Achigan est actif en eau relativement chaude: de 18 à 24 °C (de 65 à 80 °F). Aussi, la saison de pêche est-elle passablement courte à cause de notre climat rigoureux. C'est regrettable. En hiver, l'Achigan devient amorphe, se tapit au fond de l'eau et ne se nourrit presque plus.

Vous serez étonné d'apprendre que 90 p. 100 des leurres qui existent sur le marché ont été conçus exclusivement pour capturer l'Achigan! Nos voisins du Sud investissent énormément de temps et d'argent pour capturer ce poisson.

L'Achigan à Grande Bouche évolue de préférence dans les lacs eutrophes, c'est-à-dire âgés, généralement peu profonds et dont la température est tempérée.

C'est dans les herbiers que j'aime particulièrement taquiner l'Achigan. Micro-organismes, plancton et insectes forment une chaîne qui attire un large éventail de prédateurs.

Puisque les plantes aquatiques comme les nénuphars à tête triangulaire, les roseaux et les amas de végétation flottante oxygènent l'eau et que l'herbier en absorbe l'excès d'acidité, ce milieu aquatique est sain. La limpidité de l'eau et son alcalinité permettent aux Achigans d'évoluer dans un milieu favorable.

La pêche dans les herbiers se révèle difficile pour le novice. Une profondeur d'eau réduite au minimum et une prolifération d'herbes de tous genres rendent cet habitat presque impénétrable. Cependant, c'est ici que l'Achigan aménage son domaine. Peu de pêcheurs osent explorer cet environnement!

La technique que je me propose de vous expliquer dans ce chapitre a souvent porté fruit. Ces structures, où les batraciens et les reptiles ont établi leur logis, offrent à l'Achigan à Grande Bouche un couvert protecteur. Ici, il est le prédateur numéro un.

Comme je devais participer à un tournoi d'envergure internationale, j'étais allé prospecter, la semaine précédente, les fameuses baies du grand Memphrémagog.

Sur cet immense plan d'eau, il est recommandé de naviguer avec un bateau d'une longueur de 5 m (16 pi), avec un moteur puissant, si on veut se déplacer rapidement pour aller explorer des structures avoisinantes. Bien sûr, une simple chaloupe et une paire de rames ne vous empêcheront pas de capturer du poisson!

Ce jour-là, la température obligeait les pêcheurs à revêtir un chandail de laine. Cependant, les baies peu profondes offraient la possibilité de pêcher à l'aise, à l'abri des grands vents. Après avoir parcouru une distance raisonnable, j'entrai enfin dans une baie où toutes les conditions favorables semblaient réunies: herbiers, eau chaude, nourriture et abri. De quoi faire rêver les mordus de l'Achigan! Avant de pénétrer trop profondément dans cette baie, j'arrêtai machinalement le moteur du hors-bord afin que l'Achigan ne sente pas ma présence et ne devienne pas méfiant. Un pêcheur averti met toutes les chances de son côté en réduisant tous les bruits au minimum.

Avec précaution, je mis mon moteur électrique à l'eau. Pour circuler sans bruit dans ces endroits, ce moteur est très pratique, pour ne pas dire essentiel. Je le conseille à tous les pêcheurs qui voudraient s'engager régulièrement dans ces herbiers. Je me dirigeai lentement vers le fond de cette grande baie en utilisant des leurres conçus pour attirer les poissons agressifs: le «Buzzbait», très efficace en surface, le «Spinnerbait», provocant en suspension, et la «Johnson Silver Minnow», une cuiller d'herbiers, imitant un Méné blessé.

Leurres à Achigan à Grande Bouche: (De gauche à droite) 1. «Spinnerbait» feuille de saule; 2. «Spinnerbait» à cuiller double; 3. «Spinnerbait» à cuiller simple; 4. «Johnson Silver Minnow», 5. et 6. «Jig» à flipper; 7. Queue double de plastique (garniture); 8. «Couenne» de porc.

Après quelques heures de pêche intensive et agressive, je me vis contraint d'employer une méthode de présentation plus lente de mon leurre. Tout comme la Truite Mouchetée, l'Achigan à Grande Bouche connaît ses heures d'inactivité. Il faut donc lui présenter l'appât sous le nez. Un choix entre deux techniques se posait: celle du ver de plastique et le *flipping*.

Le couvert herbeux très épais se prêtant davantage à la méthode du *flipping*, j'optai pour cette présentation dans une flore aquatique aussi dense. Je pris une canne rigide de 2,25 m (7,5 pi) de longueur, conçue spécialement pour pratiquer le *flipping*. Je commençai à déposer doucement au travers de la végétation un «Jig anti-herbes» agrémenté d'une couenne de porc, de coloration brune, n° 11. D'un mouvement provocateur, je dandinai le «Jig» dans le fond. Après quelques essais infructueux, je retirai mon appât et étirai le bras en balançant ma canne pour aller déposer délicatement le leurre dans un autre endroit. Je répétai ce mouvement plusieurs fois.

Après quelques minutes, je déposai lentement mon leurre au centre d'un autre «trou» dans l'épaisse végétation. Là, il y avait à peine 1 m (3 pi) d'eau. C'était quand même suffisant pour abriter notre hôte. Je laissai descendre le leurre tranquillement tout en demeurant prêt à agir promptement. En moins de deux, je sentis une violente morsure. Avec cette technique-là, il faut réagir avec finesse. Je ferrai d'un coup scc. Surprise! je vis instantanément surgir de l'eau un superbe poisson!

Il bondit de nouveau hors de l'eau. C'est toujours stimulant de combattre un Achigan. Finalement, il baissa pavillon. Je le saisis donc par la lèvre inférieure. De cette façon, l'Achigan s'immobilise; ni le pêcheur et le poisson ne peuvent se blesser. Quelle belle prise: un Achigan de 1 kg (2 lb). Et ce n'était qu'un début...

En fin de compte, lorsqu'on pêche dans un «trou» d'herbes épaisses, il s'agit tout simplement de faire dandiner son leurre. L'Achigan qui se croit à l'abri de tout prédateur ne se méfiera aucunement de votre appât. C'est ce qui fait la force de cette méthode un peu inusitée.

Sans perdre de temps, je présentai à nouveau mon leurre au travers des algues. Vlan! Une autre touche aussi brutale que

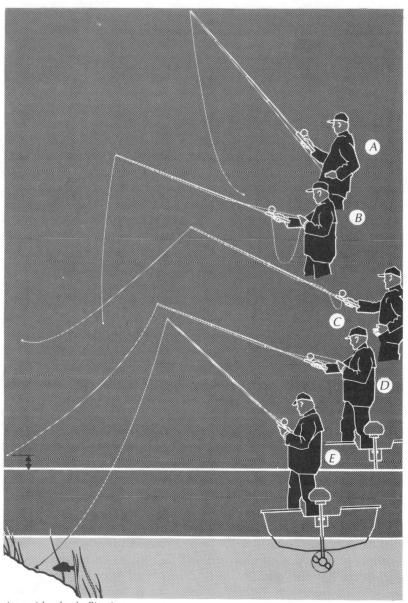

La méthode du flipping

Moulinet conçu pour le flipping

la première. Sans hésiter je donnai un bon coup de poignet. Ça y était! Celui-ci m'offrait une plus grande résistance. Hop! Il se projeta hors de l'eau. J'assistais à un merveilleux spectacle dont j'étais en même temps l'acteur secondaire!

Parmi les poissons populaires, l'Achigan est sûrement celui qui a le plus de nerf! Et il sautait encore… N'allait-il pas s'épuiser un jour? pensais-je. Puis, lentement, ses efforts se relâchèrent. De l'acteur numéro un qu'il était, il devenait un simple figurant! Un autre bel Achigan à Grande Bouche de quelques livres!

J'aime bien pêcher l'Achigan en solitaire dans les herbiers. Loin de mon travail et du bruit de la ville, je retrouve le calme et la joie que me procure mon métier, mais surtout mon passe-temps favori: la pêche. Nous devons tous nous accorder des moments de solitude! Ce sont ces occasions privilégiées qui nous permettent de faire le point. C'est primordial!

Lorsqu'on pêche dans ces structures de végétation dense, on doit nettoyer constamment son leurre. Sinon, il perd de son attrait et le poisson ne succombera pas à la tentation! Je descendis encore une fois mon leurre et répétai à plusieurs reprises le

Montage de porc coloré en forme de grenouille appâtée sur une dandinette anti-jonc

mouvement de dandinement. Il semblait que les poissons n'étaient plus au rendez-vous. Mais comme je retirais ma ligne, celle-ci se plia en deux. Je sentis l'attaque brutale d'un Achigan. Sûrement un gros «pépère»! Je ferrai énergiquement. Cette fois, c'était du gros gibier!

Cet acrobate aquatique me fit vivre plein d'émotions! Je tentai de le récupérer, mais son agressivité me forçait à le respecter.

Du monobrin de 5,5 kg (12 lb) de résistance n'a rien de commun avec un câble d'acier... Après un combat fertile en émotions, je saisis par la mâchoire inférieure ce trophée de 2,5 kg (5,5 lb)! Au Québec, un Achigan à Grande Bouche de cette taille peut être considéré comme une prise spectaculaire. C'est un peu comme si on capturait une Truite Mouchetée de 4 kg (10 lb).

Fervent de la remise à l'eau, je conseille à tous les pêcheurs de remettre certaines de leurs captures en liberté. Je comprends très bien que ce soit là un geste difficile à faire, mais combien sportif! Pourquoi emmagasiner des poissons dans son réfrigé-

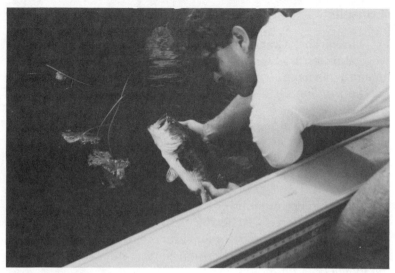

Une remise à l'eau

rateur ou son congélateur quand on sait pertinemment qu'on devra en jeter certains, le jour où ils seront moins frais! Mais si on capture un trophée pour le naturaliser, soit!

Le *flipping* est une technique d'origine américaine, popularisée il y a peu de temps par les pêcheurs professionnels au cours de tournois internationaux. Avant que cette méthode, peu orthodoxe, ne fût connue, certains professionnels capturaient à souhait de l'Achigan même quand ce dernier montrait peu de collaboration ou manquait d'agressivité.

Après à peine deux heures de pêche dans ces herbiers, en utilisant la méthode du *flipping* et en conservant mon optimisme, la chance me sourit. Trois beaux Achigans, dont un superbe spécimen de 2,5 kg (5,5 lb) me montraient une fois de plus que l'atout premier du pêcheur d'Achigan est de faire preuve d'imagination.

N'hésitez pas à appliquer une méthode plus lente en déposant doucement votre leurre dans ces baies où la végétation est très épaisse et où de gros Achigans n'attendent que vous!

Conseils

L'Achigan à Grande Bouche habite le fond des baies où la végétation est très dense et où la profondeur de l'eau est réduite au minimum.

Le *flipping* est à mon avis LA méthode à utiliser dans les herbiers.

Une cuiller conçue pour les herbiers agrémentée d'une couenne de porc est irrésistible pour l'Achigan.

Du fil de 5,5 kg (12 lb) de résistance et une canne rigide de 2,25 m (7,5 pi) de longueur augmentent vos chances de succès.

La région des Cantons de l'Est et surtout le lac Memphrémagog regorgent de gros Achigans.

Pour naviguer prudemment sur cette immense étendue d'eau, nous vous conseillons une embarcation de 5 m (16 pi) de longueur et un moteur de 25 cv.

Profitez de votre séjour de pêche dans cette magnifique région pour en visiter les nombreux attraits touristiques.

La Truite Grise (Touladi)
Salvelinus namaycush (Walbaum)

Description

Considérée comme un Omble, la Truite Grise a ses particularités. Sa queue fourchue et son poids, à l'âge adulte, différencient bien cette Truite des autres membres de sa famille.

Le Touladi se retrouve dans plusieurs lacs aux quatre coins du Québec. Dans le présent chapitre, il sera question du Saguenay-Lac-Saint-Jean ainsi que de la réserve faunique de Mistassini, Albanel et Waconichi.

Préférant généralement évoluer dans des cours d'eau profonds, ce poisson, pour lequel la température idéale est de 10 °C (50 °F), peut parfois s'aventurer au-dessus de la thermocline et cela, en dépit des températures élevées.

La Grise du Québec est marquée de taches pâles sur un fond foncé. Cependant, les Touladis des Grands Lacs ont une couleur quasi argentée; leurs taches pâles sont presque invisibles.

Le record mondial

Le plus grand Touladi à avoir été capturé à la ligne est un spécimen de 29,5 kg (65 lb). Il l'a été par Larry Daunis au Great Bear Lake, dans les Territoires du Nord-Ouest, le 8 août 1970.

Néanmoins, on relate que le plus grand Touladi connu en Amérique du Nord a été capturé à l'aide d'un filet maillant dans le lac Athabasca, en Saskatchewan, le 8 août 1961, par Orton

Flett. Il pesait 46,3 kg (102 lb) et mesurait 126 cm (49,5 po) de longueur. On a estimé son âge entre 20 et 25 ans.

Habitudes et nourriture

Ce gros prédateur se nourrit de plusieurs espèces de poissons, notamment le Cisco, le Grand Corégone, l'Éperlan et la Perchaude. Le Touladi est cannibale: il mange ses propres rejetons et les membres de sa famille! Il ne dédaigne pas les crustacés, une grande variété d'insectes larvaires aquatiques et les petits mammifères.

Très tôt au printemps, on retrouve la Truite Grise en surface, pourchassant ses proies favorites: le poisson-fourrage. À ce moment-là, elle est plus facile à capturer. La pêche à la traîne, méthode utilisée par les pêcheurs de chez nous, rapporte de beaux trophées.

Plus la saison progresse, plus le Touladi a tendance à se réfugier dans les profondeurs des lacs où la température et l'oxygénation de l'eau sont propices à son développement.

La période de frai de ce poisson populaire se situe en automne, mais il peut y avoir d'un lac à l'autre certaines variations dues au climat, à la latitude, à la grandeur et à la topographie du lac.

Ce poisson est très recherché pour sa chair — rosée, voire orangée —, qui fait les délices des gourmets. L'attrait qu'il suscite au Québec tient de l'engouement.

Certains pêcheurs de Grises la taquinent avec des appareils à la fine pointe de la technologie.

L'objet de ce chapitre est de populariser une technique malheureusement très peu exploitée: la pêche au Touladi à la dandinette! Mais avant de plonger dans le vif du sujet, étudions ensemble les différentes structures reconnues pour leur productivité.

Structures idéales en saison estivale

Certains accidents géographiques profonds de votre lac préféré sont susceptibles d'abriter la Grise. Un fait important reste cependant à considérer si vous désirez prendre avec succès du Touladi pendant toute la saison estivale: toutes les structures proposées doivent être adjacentes à une fosse assez profonde. Les Grises se reposent à ces endroits et longent les hauts-fonds de 15 à 23 m (de 50 à 75 pi) pour se nourrir.

Le îles sous-marines

Les îles sous-marines sont quelquefois difficiles à identifier sans un sonar. Souvent découvertes par hasard, elles deviennent un excellent choix pour la pêche au «Jig»! En explorant le contour d'une île, il est possible que vous retrouviez certaines structures mentionnées ci-dessus. Si deux îles sont rapprochées l'une de l'autre, il se peut fort bien qu'il existe un haut-fond entre les deux; nous appellerons cette dernière structure une «selle». Les abords de celle-ci sont souvent le repaire de grosses Truites qui n'attendent que vous.

Les pointes sous-marines profondes

Les Truites semblent être attirées dans les pointes sous-marines profondes pour se nourrir durant l'été. Plus ces pointes s'étendent vers le large, meilleures sont vos chances de succès. Toute la longueur de la pointe vaut la peine d'être prospectée. Soulignons que les Truites ont une préférence pour le bout de ces pointes.

Structures en forme d'escalier

Les structures en forme d'escalier, situées le long des rivages, attirent les Truites Grises en abondance. Ancrez votre embarcation près d'une dénivellation; les touches ne devraient pas tarder.

Les barres

Sur un lac, on appelle «barre» un changement subit de profondeur s'étendant sur une très grande partie du lac. L'ancrage près du changement brusque de profondeur et sa prospection au «Jig» pourraient faire de vous un pêcheur heureux.

La méthode

Lorsque vous aurez trouvé une structure propice, laissez descendre l'ancre lentement, pour ne pas effrayer le poisson. Ensuite, présentez le «Jig» tout près du fond, là où mangent les grosses Truites. Puis agacez le poisson en variant la vitesse de votre mouvement. Ceci peut parfois inciter les grosses Grises à prendre le leurre. Par moments, laissez le «Jig» sur le fond pour provoquer l'attaque du poisson. Si vous pêchez dans un endroit où vous pouvez utiliser des appâts morts, n'hésitez pas à garnir votre «Jig» de poils ou d'une queue de Méné; cela rend l'offrande plus naturelle et alléchante pour les Touladis. Même si cette méthode permet de capturer des Grises de grandes dimensions, il faudra vous armer de patience car la Grise est un poisson méfiant qui ne saute pas sur tous les appâts qui lui passent sous le nez!

Il se peut que vous pêchiez de longues heures avant de sentir une touche. Demeurez cependant tout le temps aux aguets et que vos réflexes soient bien aiguisés; la Grise mord au moment où on s'y attend le moins.

Quand elle mord, la Truite Grise a tendance à soulever le «Jig» plutôt que de le tirer, comme le fait le Doré. Le ferrage doit être exécuté instantanément et il vous faut exercer une forte pression. Vous manquerez peut-être les premières touches, mais je suis convaincu que vous vous adapterez rapidement. Un fait important à souligner: aussitôt qu'un occupant de l'embarcation rate une touche, soyez sur vos gardes. Généralement, la Grise se plaît à goûter à tous les leurres avant de chercher un autre «lunch» à se mettre sous la dent!

Si, après plusieurs heures de pêche, le Touladi ne donne aucun signe de vie, n'hésitez pas à changer de profondeur.

L'équipement

Côté équipement, je me limiterai à quelques simples recommandations. Une canne de type graphite ultrasensible est suggérée. En effet, pour un ferrage rapide et efficace, il faut une canne d'une grande sensibilité et possédant une rigidité suffisante pour assurer la pénétration efficace de l'hameçon.

Le moulinet d'une grosseur moyenne doit être muni d'un bon système de tension: un frein de combat (*fighting drag*) est très utile pour ce genre de pêche. Un bon ajustement de la tension est également primordial pour combattre une grosse prise qui s'est emparée d'un «Jig».

Moulinet muni d'un bon système de tension

Pour le ferrage, imprimez une tension assez forte à votre moulinet, pour être certain que l'hameçon s'enfonce bien dans le cartilage de la gueule du poisson. Pendant le combat, abaissez la tension du moulinet pour éviter que la Grise ne secoue trop la tête et se décroche de l'hameçon. Vos chances sont minces de sortir une grosse Grise si vous vous entêtez à exercer trop de pression sur la ligne. Prenez tout votre temps pour remonter votre prise à la surface et puiser le poisson de vos rêves!

Le choix du fil de pêche devra se faire avec soin. Ne lésinez pas sur la qualité et n'oubliez jamais qu'il n'y a que la ligne (le monobrin) entre vous et le poisson. Je recommande un monofilament, ou encore mieux un «cofilament» de 5,5 kg (12 lb) de résistance, qui a la propriété de s'étirer le moins possible lors du ferrage.

Le leurre doit répondre immédiatement au ferrage demandé, même à des profondeurs importantes. L'utilisation d'un «Jig» garni d'une queue de Méné peut entraîner quelques problèmes au niveau de la ligne. Il se peut que le «Jig» exécute un mouvement d'hélice d'hélicoptère dans sa descente vers le fond; ce qui use le monobrin et le fait vriller. Pour éviter ce léger désagrément, il suffit d'installer un petit émerillon à billes à environ 30 cm (12 po) au-dessus du «Jig». Ce procédé empêche la détérioration de la ligne, sans que le poisson soit effrayé par la présence d'un émerillon près du leurre.

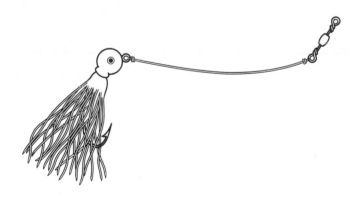

«Jig» monté sur un émerillon à bille. Ce procédé évite le «vrillage» de la corde.

Vous planifiez une sortie de pêche à la Truite Grise l'été prochain? La période comprise entre la fin de juin et la fin d'août semble le temps de la saison le plus favorable pour capturer au «Jig» des Grises de plus de 4,5 kg (10 lb)! Contrairement à la croyance populaire, on peut capturer de la Truite entre 10 h et 15 h, même en plein soleil! Par ailleurs, un vent moyen et quelques nuages ne feront qu'augmenter vos chances de succès. N'hésitez pas à utiliser cette méthode qui, je l'espère, vous fera capturer des Truites qui feront l'envie de tous vos amis.

Aventure de pêche

La région du Saguenay-Lac-Saint-Jean est principalement reconnue pour sa fameuse Ouananiche! Cependant, depuis fort longtemps cette «forteresse» a conquis l'amateur par ses nombreux lacs à Truites Mouchetées et à Truites Grises indigènes.

Aussi colorés que l'Omble de Fontaine, les Saguenéens et les Jeannois sont reconnus à travers la province pour leur hospitalité et leur langage savoureux!

Dans cette région encore sauvage, nombreux sont les lacs où le Touladi est le maître des eaux! Plusieurs Zones d'exploitation contrôlée (ZEC) et pourvoiries offrent aux mordus une qualité de pêche vraiment remarquable!

Un peu plus loin, la réserve Ashuapmushuan offre aux nombreux disciples de saint Pierre quantité de lacs dont la qualité est excellente. Plus au nord, Chibougamau, ville minière et forestière, est le centre nerveux halieutique de la région. Du lac Saint-Jean à la ville de Chibougamau, vous aurez à parcourir 350 km.

De Montréal, vous pouvez compter 12 heures de route (900 km) avant de parvenir à ce paradis de la Truite Grise et de la Truite Mouchetée. Comme le dit la publicité: La distance n'a pas d'importance! Cependant, de Québec, on peut s'y rendre en moins de 8 heures (500 km).

Évidemment, il y a toujours l'avion. Ce moyen de transport évite souvent des complications. En fin de compte, tout dépend des sommes d'argent qu'on veut dépenser, et du temps dont on dispose.

147

Un de mes bons amis me proposait dernièrement d'aller explorer quelques excellents lacs à Grises de la réserve faunique Mistassini, Albanel et Waconichi.

C'était au début de juillet. L'été battait son plein et nous profitions d'une période de chaleur continue pour aller taquiner, «Jigger» devrais-je dire, la grosse Grise!

Inutile de vous mentionner que, durant le trajet en camionnette, nous alimentions nos conversations d'histoires de pêche, toutes plus fantastiques les unes que les autres. Ainsi, mon compagnon de pêche me décrivit en détail sa technique inusitée pour capturer de grosses Grises au «Jig».

Je comprends que l'on pêche la Grise, en début de saison surtout, en raison de la facilité relative de sa capture en eau peu profonde. Quelques semaines après l'ouverture, les pêcheurs dépensent temps et énergie à la capture d'autres espèces, croyant que le Touladi est retourné dans les grandes profondeurs des lacs, et qu'il devient presque impossible à capturer. Les vrais pêcheurs de Grises savent pertinemment que l'on peut déjouer ces mastodontes en employant des techniques éprouvées.

Les pêcheurs munis d'un gros «pen» et d'une ligne plombée agrémentée d'un long chapelet de cuillers ont souvent leurré ce superbe poisson!

Je crois que cette technique est la plus pratiquée au Québec, en ce qui a trait à la capture de la Truite Grise. Habituellement, lorsqu'une méthode de pêche donne des résultats, on n'est pas tenté d'explorer d'autres avenues...

C'est peut-être là l'erreur que j'ai faite et que plusieurs pêcheurs commettent: on ne fait pas assez de nouvelles expériences, on ne s'ouvre pas aux nouveaux types de techniques ou aux nouvelles approches!

La découverte d'un nouveau truc de pêche, l'invention d'un leurre révolutionnaire sont souvent le fruit du hasard! Cessons d'être trop traditionnels et allons de l'avant!

Lorsque je fais un voyage de pêche, j'essaie de tirer profit au maximum de la nature qui m'enivre chaque fois!

Vous en conviendrez avec moi, le parc des Laurentides est l'un des plus beaux au Québec! Les ruisseaux qui serpentent le long des montagnes, les rivières abondantes et limpides, et les lacs, tantôt ronds, tantôt allongés et larges, abritent du poisson généralement à l'état indigène. Jamais je n'ai pu rester insensible au spectacle de ces éléments naturels qui donnent à la nature une apparence grandiose, émouvante et combien pittoresque.

Au bout de ce trajet intéressant: le lac Saint-Jean, cet immense plan d'eau où le Saumon Atlantique a établi ses quartiers en permanence. J'espère, dans un prochain volume, avoir l'occasion de m'attarder plus longuement sur cette superbe région et sur cette espèce si populaire qu'est la Ouananiche.

La réserve d'Ashuapmushuan est immense. Des forêts denses de conifères en marquent la végétation. L'Orignal, maître des lieux, attire de nombreux chasseurs. Et les lacs… grands, profonds, taillés sur mesure pour le pêcheur de Grise. Certains cours d'eau de moindre importance ne sont pas moins productifs.

Après plusieurs heures, qui m'ont paru fort brèves, nous sommes arrivés à Chibougamau: ville reconnue pour l'exploitation du bois de pulpe et pour ses richesses minières.

Puisque nous n'avions ni tente ni abri, il semblait urgent de trouver un endroit pour nous loger. En plus du bois et des mines, Chibougamau vit du tourisme, et son hospitalité est sans pareille.

Pensons aux lacs Mistassini, Albanel et aux images de poissons énormes qui défilent dans notre esprit: les Grises trophées, la Mouchetée rouge de 1,5 à 2 kg (3 à 5 lb), des Brochets monstres et des Dorés dignes de battre tous les records.

Mais revenons à la réalité: la pêche à la Grise au «Jig»! Mon compagnon, qui connaissait bien cette région, commença à me raconter des histoires de pêche vécues à Chibougamau qui n'étaient pas piquées des vers… Si ses dires étaient véridiques nous allions faire une pêche miraculeuse!

Très tôt le lendemain matin, nous quittions la chambre d'hôtel en direction du grand lac Waconichi. Dès l'abord, cette grande, cette très grande étendue d'eau m'inspira.

Si on doit pêcher sur un lac dont l'étendue est grande, il est impérieux de très bien en connaître les différentes structures. Comme je l'ai mentionné dans les chapitres précédents, une carte bathymétrique devient un instrument indispensable si l'on veut être en mesure de distinguer les diverses profondeurs. Puisque mon «guide» y était venu à plusieurs reprises, je n'étais nullement inquiet.

Il est utile de posséder un sonar si on veut détecter rapidement les meilleures structures. Après une promenade d'une demi-heure, mon compagnon arrêta le moteur et me demanda de jeter l'ancre aux abords d'une île sous-marine dont la profondeur se situait entre 16 et 20 m (55 et 65 pi).

En moins de temps qu'il n'en faut pour le dire, nous descendions nos «Jigs» lentement vers le fond. Et puis, la guerre! Nous tenions bien serré dans nos mains le manche de la canne pour pouvoir ferrer instantanément, à la moindre touche.

Après une heure de pêche, mon compagnon crut sentir l'attaque d'une Grise. Rapidement, il ferra, d'un coup sec du poignet. Il brisait la glace, comme on dit. Le poisson offrait une bonne résistance et ne voulait absolument pas remonter vers la surface. On doit toujours ajuster la tension du moulinet si on ne veut pas que notre opposant nous fasse faux bond!

La Grise, lorsqu'elle est ferrée, tente par tous les moyens de se délivrer de l'hameçon qu'elle croyait au départ être une proie facile. C'est à ce moment-là que la vigilance du pêcheur entre en ligne de compte.

Au bout d'un certain temps, peut-être une dizaine de minutes, mon compagnon remonta lentement une belle Grise de 3 kg (6 lb)... C'est tout de même respectable! C'était bien loin des trophées convoités, mais nous n'avions pas perdu notre enthousiasme. Après quelques heures de pêche et de patience, nous décidâmes de changer d'endroit et nous dirigeâmes vers une autre structure située au plus à 20 m (65 pi) de la berge. C'était probablement l'emplacement préféré des Grises, où elles se nourrissaient de poissons-appâts, surtout en été. Cette structure paraissait idéale à mon compagnon dont l'enthousiasme grandissait.

Nous jetâmes l'ancre dans plus de 20 m (70 pi) d'eau, et laissâmes descendre nos «Jigs».

La réponse ne se fit pas attendre. J'avais senti de légères touches, mais je n'avais pas réussi à piéger le poisson. Puis, il sembla s'intéresser encore à mon «Jig». Le ferrage que j'imprimais à ma ligne était sans équivoque! Le poisson ne mit pas de temps à réagir. Il «planta» le bout de ma canne dans l'eau. Vivement, je réagis en ajustant la tension de mon moulinet. Il partit comme une flèche... comme pour démontrer sa grande puissance, puis il se tapit au fond, immobile.

Le combat durait depuis une dizaine de minutes et nous étions en droit de spéculer sur le poids du poisson; j'avançais 4,5 kg (10 lb), peut-être 9 kg (20 lb). Mais mon copain affirmait que cette Grise, qui offrait une telle opposition, ne devait pas peser moins de 13,5 kg (30 lb). Il ajoutait qu'on pouvait puiser une pièce de 18 kg (40 lb)! J'en étais abasourdi!

Cette Grise-là me donnait des émotions que jamais aucun autre poisson ne m'avait fait vivre (à la première expérience). Imaginez: un «Jig» de 10 g (3/8 oz), un monobrin de 5,4 kg (12 lb) de tension et ce monstre, que rien au monde ne ferait quitter son repaire!

Après une quarantaine de minutes, je dis à mon copain que je détenais probablement un trophée! Cependant, il fallait absolument que je l'amène à l'épuisette!

Finalement, au bout d'une heure, je sentis moins de combativité de la part de la Grise. Je tentai de la remorquer vers l'embarcation. Mon stratagème fonctionna jusqu'au moment où elle vit l'épuisette et fonça vers le fond, à 15 m (50 pi).

Je commençais à croire que pour sortir une bête de cette taille, il fallait avoir un cœur en bonne condition, un avant-bras d'athlète et la patience que seuls les moines bénédictins de l'abbaye de Saint-Antoine possèdent! Ah! je vous dis que cette fois-ci, je croyais que mon trophée avait pris la clé des champs! Mais non! Le cofilament résistait toujours...

C'est au bout d'une heure fertile en émotions que je pus remonter, j'allais dire «remorquer» à la surface cette énorme pièce! Une grosse prise de 13,5 kg (30 lb). Je n'en croyais pas mes yeux! Je pouvais finalement l'admirer dans mes mains!

Je dois vous signaler que lorsqu'on ferre un tel spécimen, il est possible qu'il y en ait un autre semblable dans les parages puisque les Grises de cette taille se tiennent en couple. Atten-

Une prise digne de mention!

tion! Tentez le diable et essayez de cueillir deux Grises géantes dans la même journée...

Plus tard, je fis immortaliser ce trophée par un taxidermiste. Il est peu fréquent de capturer un aussi gros poisson. La méthode au «Jig» est plus qu'efficace! Je vous la recommande sans restriction.

Ce voyage de pêche nous a permis de prendre six Grises. Un trophée et cinq belles pièces allant de 2,5 à 3,5 kg (5 à 8 lb). Quels beaux souvenirs je garde de cette région sauvage où l'amabilité des habitants a fait de notre séjour de pêche un rêve inoubliable!

Conseils

Lorsqu'un pêcheur de Grise veut s'initier à une nouvelle technique, il est primordial qu'il distingue les structures où ce poisson des hauts-fonds préfère évoluer.

Pêchez le Touladi au «Jig». C'est probablement la meilleure

méthode à employer en juillet et en août pour capturer cette espèce.

Procurez-vous du monobrin de qualité. De ce lien invisible entre vous et le poisson dépend la qualité de votre pêche.

La région comprise entre le lac Saint-Jean et Chibougamau est très propice à la capture de la Truite Grise.

Les grosses Grises se tiennent en couple. Si vous en ferrez une, il n'est pas impensable que vous en capturiez une deuxième.

Une canne en graphite possédant les qualités suivantes est à conseiller: assez longue, assez sensible et d'une rigidité suffisante pour que l'hameçon pénètre bien dans la gueule de la proie.

Le port de la veste de sauvetage est important en tout temps!

Assurez-vous que l'utilisation du poisson-appât est permise là où vous pêcherez la Grise.

L'Achigan à Petite Bouche
Micropterus dolomieui (Lacépède)

Description

Au Québec, l'Achigan à Petite Bouche est beaucoup plus répandu et plus populaire que son cousin à Grande Bouche. La Petite Bouche porte bien son nom: sa lèvre supérieure ne dépasse pas l'œil.

Ce poisson plat, dont le corps est comprimé latéralement, est de couleur foncée avec de nombreuses marques prononcées. Le dos va du brun au vert, et la face ventrale est blanche. La tête est assez grosse, et l'œil très grand. Notons qu'en période de frai, les motifs s'intensifient chez la femelle et les couleurs sont plus vives chez le mâle.

Son aire de distribution au Québec va de la région de Trois-Rivières vers Montréal, dans les Cantons de l'Est et spécialement dans la région de l'Outaouais, où j'ai capturé de beaux spécimens.

La période de frai de la Petite Bouche s'étend normalement sur une période de 5 à 10 jours, soit à la fin du printemps ou tout au début de l'été. Il est intéressant de souligner que la ponte ne dure qu'environ cinq secondes, l'acte se répétant sur une période de deux heures.

Le nombre d'œufs varie selon la grosseur de la femelle mais peut atteindre 15 000 œufs par kilo! Cependant, un faible pourcentage se rend à maturité. Dans des conditions excellentes, l'éclosion a lieu au bout de 5 à 10 jours.

Au Québec, un Achigan adulte peut atteindre l'âge de 15 ans. À maturité, il pèse environ 3 kg (6,5 lb). Notre saison estivale, courte, comparativement à celle de nos voisins du Sud, ne permet pas le plein développement physique du poisson.

Le record mondial

Le record mondial est de 5,41 kg (11 lb et 15 oz), de 68,6 cm (27 po) de longueur et de 54,9 cm (21 2/3 po) de circonférence. Ce poisson fut capturé le 9 juillet 1955 au Kentucky, dans le lac Dale Hollow, par David L. Hayes.

L'habitat

«L'habitat de l'Achigan à Petite Bouche varie suivant sa taille et le temps de l'année. Au printemps, les adultes se rassemblent sur les frayères. Plus tard, on les trouve ordinairement dans les endroits rocailleux et sablonneux des lacs et des rivières, en eau peu profonde. Durant la chaleur de l'été, ils se rassemblent où la nourriture abonde. Ils se trouvent le plus souvent près des abris que procurent les pierres des hauts-fonds et des talus, ou près des billots submergés. L'Achigan à Petite Bouche est beaucoup moins souvent associé à une dense végétation aquatique que l'Achigan à Grande Bouche et recherche une température plus basse que celui-ci. Ses températures de prédilection... ont été mentionnées comme étant en été d'une moyenne de 21 °C (70 °F) (Scott et Crossman)».

Nourriture

De façon générale, l'Achigan à Petite Bouche affectionne tout particulièrement les Vairons, les Écrevisses et les insectes. Il est passionnant de le capturer à la mouche... artificielle. Qu'elle soit sèche ou noyée, la mouche artificielle fascine ce poisson!

Plusieurs jeunes pêcheurs sont initiés à la pêche en capturant des Achigans. Ce genre de pêche, que l'on pratique en famille le long du Saint-Laurent ou sur les rives de la rivière Chaudière par exemple, a donné le goût de la pêche à plusieurs jeunes. Un gros ver juteux au bout d'un hameçon, une vieille «brimbale», et le tour est joué!

Il ne faut pas hésiter, lorsque l'occasion se présente, à emmener son enfant avec soi à la pêche. Celui-ci est friand de découvertes et d'aventures! Tous les judicieux conseils qu'un père ou une mère pourra lui prodiguer resteront marqués dans sa mémoire pour toujours. L'initier aux rudiments de la pêche, c'est bien, mais l'éduquer au respect de l'environnement, c'est encore mieux! Dans 5, 10 ou 15 ans, cet enfant sera un adulte averti et sensibilisé au mal auquel notre société doit faire face: la pollution sous toutes ses formes. Respectons les règles de sécurité et obligeons l'enfant à porter une veste de sauvetage réglementaire, même lorsque l'on pêche du rivage! C'est une excellente habitude à inculquer à nos jeunes puisqu'il y va parfois de la vie des êtres qui nous sont le plus chers.

Les structures idéales

Tous les bons pêcheurs savent que la Petite Bouche abonde autant dans les rivières que dans les lacs. L'objet du présent chapitre est de vous faire apprécier et connaître la pêche de rivière. Lorsqu'on pêche l'Achigan en rivière, plusieurs endroits ou structures se présentent à nous: les rapides, les pointes de rapides, la roche demi-surface, les remous, les pointes, les arbres immergés sur la berge, les structures non visibles, les fosses dans les rapides, les plateaux, les îles sous-marines et les pointes sous-marines.

Vous trouverez à la page 158 deux illustrations qui vous aideront à mieux visualiser le fond d'une rivière et à réussir à identifier les structures visibles et invisibles. En règle générale, on retrouve l'Achigan à Petite Bouche près des obstacles qui réduisent ou changent la direction du courant; on peut observer la présence de bouillons ou de vaguelettes à la surface de l'eau.

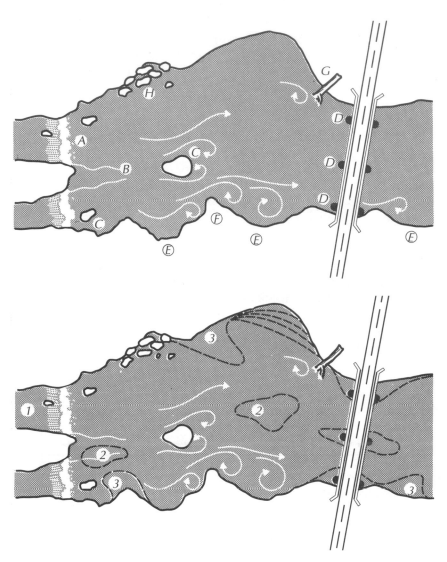

Les structures visibles d'une rivière: (A) les rapides; (B) les pointes de rapides; (C) la roche demi-surface; (D) les piliers de pont; (E) les remous; (F) la pointe; (G) arbres immergés sur la berge; (H) amas de roches. Les structures non-visibles: 1. les fosses dans les rapides; 2. les îles sous-marines; 3. les pointes sous-marines.

Les structures visibles

Le rapide

Le rapide (A) est certainement l'une des structures les plus faciles à localiser. L'eau y circule très rapidement et, à cause des embûches qui pourraient être de grosses roches, du galet, etc., il se produit souvent une dénivellation ou un changement de niveau appréciable, provoquant un nombre incalculable de bouillons à la surface. Les Achigans se rassemblent souvent à proximité de ce type de structure durant la belle saison alors que l'eau est moins oxygénée. Les vers, les Sangsues, les Salamandres, les Écrevisses et les Ménés de toutes sortes abondent près de ce type de structure; c'est donc là que les Achigans fourmillent et où il faudra les pêcher.

La dérive fonctionnant à l'aide d'un moteur électrique est sans doute une méthode très efficace pour réussir une présentation naturelle de l'appât. On place l'embarcation près du rapide et on se laisse descendre en maintenant sa vitesse constante, à l'aide du moteur électrique. Inutile de vous mentionner qu'il est prudent de faire usage d'un moteur fiable dont la poussée minimale est de 10 kg (22 lb).

La pointe de rapide

La pointe de rapide (B) se reconnaît soit par une pointe de terre qui s'avance dans la rivière ou par une île de roches importante. Il en résulte que le courant est forcé de changer sa trajectoire de façon brutale. On y trouve, en aval de la déviation mentionnée, une aire de repos pour les poissons. Selon la couleur de l'eau, il est recommandé de visiter ce type de structure soit à l'aube soit au crépuscule.

Pour réussir de belles pêches, il est préférable de s'ancrer, sans bruit, en amont de la pointe, puis de laisser sortir suffisamment de câble avant de stabiliser l'embarcation afin d'être en bonne position pour effectuer les lancers. Tous les appâts vivants sont très efficaces. L'usage de «Jigs» ou de leurres artificiels, de type Méné vacillant, devrait aussi permettre de belles prises. Les lancers devront être faits en amont du courant et la vitesse du leurre ne devra pas dépasser celle du courant de fond. Il faudra aussi s'assurer de bien vérifier tous les niveaux de la structure avant de la quitter.

La roche demi-surface

Selon le niveau de l'eau et la pénétration de la lumière, il se peut que la roche demi-surface (C) abrite quelques Achigans qui se reposent ou qui attendent leur proie. On retrouve souvent ce type de structure en plein courant.

Le remous

À cause du relief sous-marin, il n'est pas rare que le courant cause parfois un ou des remous. L'Achigan raffole de ces structures (E) puisqu'il y trouve repos et nourriture en abondance. Si le passage est suffisamment large pour vous permettre de vous y rendre avec votre embarcation, utilisez le lancer léger et mouillez votre «Jig» favori. Si le passage, au contraire, est trop étroit, il vous faudra vous ancrer en plein courant près de celui-ci et y faire vos lancers à distance. Si on n'obtient pas une touche dans les cinq minutes qui suivent, il ne faut pas hésiter à changer d'endroit, quitte à revenir plus tard.

La pointe

Presque toutes les pointes (F) constituent un refuge pour les poissons. Les Achigans affectionnent aussi ces endroits où ils trouveront repos et nourriture. Peut-être sont-elles les meilleures structures visibles de cette carte. Les pointes chutant vers les bas-fonds sont particulièrement efficaces. La pêche à la dérive à moteur et la traîne à la renverse pourront à l'occasion faire la différence.

Arbre immergé sur la berge

Les arbres ou taillis immergés, près d'une fosse, constituent des structures (G) recherchées par les Achigans. Elles regorgent de fretin qui fait le délice de ces prédateurs.

Les structures non visibles

Les structures non visibles sont constituées d'obstacles sur le fond de l'eau et, sauf exception, elles ne se voient pas à l'œil nu. Pour les trouver, il existe deux façons: la première est de faire usage d'une corde plombée à l'aide d'un «calant» de 120 à 180 g (de 4 à 6 oz) qu'il faudra mouiller régulièrement afin de réussir à situer les changements de profondeur et les fosses. La seconde méthode consiste à faire usage d'un profondimètre (sonar de type clignotant). Cet appareil vous permettra de repérer ces structures et d'y faire de belles pêches.

Les fosses dans les rapides

Les fosses dans les rapides (1) ne sont pas faciles à localiser car, à la surface, rien ne permet de repérer leur existence. Toutefois, il n'est pas rare d'y voir les Achigans en abondance, car au fond d'une fosse le courant est presque inexistant. Selon la force de ce dernier, deux techniques se révèlent efficaces. La première, si la profondeur le permet bien sûr, consiste à remonter le rapide et à se laisser redescendre en utilisant la méthode de la dérive à moteur. La seconde consiste à ancrer l'embarcation sur le côté ou en amont de la fosse. On pourra y pêcher à l'aide de «Jigs» garnis ou d'appâts vivants. L'important est de faire usage de «calants» ou de «traîneaux» assez lourds pour réussir à submerger le leurre et à le présenter en début de fosse, puis à le traîner lentement sur le fond du bassin.

Les îles sous-marines

Habituellement, les îles sous-marines (2) regorgent d'Achigans. Toutefois, il y aurait lieu de distiguer deux types d'îles sous-marines. La première est ordinairement à une profondeur de 3 à 6 m (de 10 à 20 pi) et recouverte de rocaille. La seconde, plus près de la surface, est recouverte d'herbes dispersées sur un fond rocheux. Alors que l'on retrouvera l'Achigan flânant sur le dessus des îles du premier type, il faudra plutôt pêcher sur le contour et dans les environs de celles du second type.

Les pointes sous-marines

Les pointes sous-marines (3) sont nombreuses et identiques à celles qui sont visibles, sauf qu'il faut les trouver. Très peu explorées, elles sont souvent riches en Achigans. Pour réussir à les découvrir, l'usage d'un sonar de qualité vous sera d'un précieux secours.

Bien que les structures mentionnées ci-dessus ne représentent qu'un échantillon des meilleurs endroits de pêche en rivière, une ou deux sorties de pêche en rivière vous convaincront qu'il est souvent plus facile d'y capturer sa quantité maximale permise d'Achigans que sur un lac.

L'Achigan à Petite Bouche recherche des endroits où le débit d'eau est rapide. Puisque l'Achigan privilégie les endroits où le fond est rocheux et sablonneux, il est inutile que vous perdiez votre temps dans les fonds vaseux.

Les leurres, les mouches et les appâts

Ce poisson, friand d'Écrevisses, de Grenouilles et d'insectes, sera tenté par des leurres de surface. Les «Poppers», les «Buzzbaits» et les «Spinnerbaits» sont les plus fréquemment employés. Le «Crainkbait» ou poisson-nageur alphabet est un excellent leurre. Selon sa grosseur, ce leurre s'utilise dans une profondeur de 1 à 6 m (de 3 à 20 pi) d'eau. Il s'agit de le lancer et de le ramener rapidement vers l'embarcation.

En plus des «Poppers», le «Mudler Streamer», le «Mickey Finn», les «Souris» fabriquées à partir de poil de chevreuil et la «Rouge et Blanche tandem» provoquent et sont très efficaces! Quelle joie de capturer un Achigan à la mouche!

Si la pêche est infructueuse, les «Jigs» de poils et de plastique, les cuillers à «jigger» et les «Giddits» pourraient être plus efficaces, même s'ils offrent moins d'attrait pour l'œil lors de la capture du poisson, comparativement à un leurre de surface.

En plus de ces leurres et de ces mouches, le Méné, que l'on capture sur place, est un appât de choix pour l'Achigan. Plusieurs espèces de Ménés mettent en appétit la Petite Bouche. Le

La dandinette, le «Buzzbait», le «Spinnerbait», les «Crainkbaits» (plongeur, flottant ou semi-surface ou vibrant) sont les leurres que je préconise pour capturer l'Achigan à Petite Bouche.

Raseux-de-terre est probablement celui dont il raffole le plus. Long de 4 à 5 cm (1 1/2 à 2 po), ce mets de choix vous aidera à capturer du poisson. J'ai expérimenté d'autres espèces de poisson-appât comme la Carpe et le «Shiner», mais le rendement a été beaucoup moins élevé qu'avec le fameux Raseux-de-terre!

Au Québec, on ne retrouve l'Achigan à Petite Bouche que dans certains cours d'eau. Ainsi, sur la Côte-Nord et en Gaspésie il est totalement absent. Sa concentration est beaucoup plus grande à partir de Trois-Rivières vers Montréal, dans les lacs Saint-Louis, Deux-Montagnes, Saint-François, dans la rivière des Mille-Îles, dans celle des Prairies et en Estrie. C'est dans l'Outaouais, où il abonde, que de nombreux pêcheurs québécois et américains viennent le capturer.

La région de l'Outaouais semble être la plus riche en Achigans! Ses nombreux lacs et ses rivières, comme la Lièvre, offrent des conditions favorables à l'évolution et à la reproduction de cette espèce. La réserve faunique Papineau-Labelle, recon-

Voici une variété de «Poppers» ainsi que des «Souris» artificielles qui déjoueront ce rusé poisson.

nue pour la qualité de sa pêche à la Truite, recèle aussi d'excellents lacs à Achigans à Petite Bouche.

Je recommande à tous les pêcheurs d'Achigans à Petite Bouche d'aller taquiner leur poisson favori dans cette région pittoresque où la rivière Outaouais et ses nombreux affluents, ainsi que la rivière du Lièvre, offrent des possibilités de capturer des trophées de 2,5 à 3 kg (de 5 à 6 lb).

L'«Oiseau»: L'Achigan est attiré par cette imitation d'un oisillon qui tombe de son nid, dans l'eau.

164

L'équipement

Il existe deux types de cannes que je vous conseille pour la capture de l'Achigan à Petite Bouche. La canne à lancer léger de 2,10 à 2,20 m (7 à 7,5 pi) de longueur doit avoir les qualités suivantes: la souplesse et une action légère. Elle devient l'outil le plus stimulant pour prendre ce fougueux poisson. La pêche au lancer léger augmente votre plaisir. La canne à lancer lourd, d'autre part, d'une longueur de 2 m (6,5 pi) demande un mono-brin de 4,5 kg (10 lb) de tension, contrairement à celui du lancer léger qui sera réduit à 2, 3 ou 3,5 kg (4, 6 ou 8 lb) de tension. Idéal pour la pêche à la traîne, cet équipement est tout de même légèrement moins utilisé.

Profondeur

Dans la rivière du Lièvre, l'Achigan évolue dans une eau de 1 à 5 m (5 à 15 pi). Lorsque la température est clémente et qu'aucune ride ne vient troubler la surface de l'eau, il arrive que l'on puisse distinguer les poissons à une profondeur de 1 à 3 m (de 5 à 10 pi).

Comme je le mentionnais antérieurement, il est possible de prendre des Achigans à Petite Bouche de 2 kg (4,5 lb)! Puisque la période de chaleur estivale est souvent trop courte, ces poissons ne peuvent alors bénéficier de cet élément si important à leur développement et à leur croissance, contrairement à ceux des États-Unis, où, dans certains États, il peuvent profiter de la chaleur à longueur d'année et atteindre un poids de plus de 4,5 kg (10 lb)! Le poids moyen de l'Achigan à Petite Bouche varie entre 2,2 et 2,4 kg (1 et 1,5 lb), au Québec.

Aventure de pêche

Depuis un certain nombre d'années, je vais taquiner l'Achigan au royaume de la Petite Bouche! Ce château-fort de l'Achigan se trouve à seulement 200 km au nord-ouest de

La «Souris»: Probablement l'artificielle qui vous fera capturer le trophée convoité.

Montréal. C'est donc dire qu'en quelques heures, en empruntant la route 148, on arrive à destination: la rivière du Lièvre, populairement surnommée la Lièvre. Les villes de Hull et de Gatineau, situées du côté nord de la rivière Outaouais, sont pittoresques. Ce coin de pays est fort réputé pour la chasse au Cerf de Virginie! Région forestière, l'Outaouais est teintée des cultures francophones et anglophones qui se côtoient.

La Lièvre est une excellente rivière où abonde l'Achigan à Petite Bouche. La pêche en rivière offre aux pêcheurs la paix et la tranquillité en tout temps! Ces eaux libres, très bien oxygénées, regorgent de beaux Achigans. Il y a dans cette région maintes rivières qui sont peu ou presque pas fréquentées par les pêcheurs. C'est tout comme si vous pêchiez sur votre propre étang privé; les Achigans n'attendent que vous!

Pourquoi certains pêcheurs pêchent-ils avec succès dans les rivières alors que d'autres reviennent bredouilles? Les pêcheurs chanceux ne se contentent pas de pêcher n'importe où; ils placent leur embarcation près d'une structure propice!

Les rivières possèdent un nombre incalculable de structures. Alors que plus de 50 p. 100 de ces dernières sont décelées à l'œil nu par le pêcheur averti, il faut aiguiser son sens de l'observation au maximum pour repérer les autres. Si l'on veut réussir à les localiser, l'usage d'équipement spécialisé devient souvent indispensable! En fait, maîtriser son embarcation requiert plus d'efforts en rivière.

Les informations suivantes pourront varier selon divers facteurs: la saison, la température, les fronts froids ou chauds, la couleur de l'eau. Il s'agira d'aviser selon les conditions rencontrées.

Le principe de base demeure presque toujours le même, quelles que soient les circonstances. Mais il faut noter que le niveau de l'eau change souvent en rivière à cause de facteurs comme: la pluie, l'ouverture d'un barrage, etc. Il se peut donc qu'une structure puisse donner d'excellents résultats lors du gonflement de la rivière et devenir improductive en eau basse.

Une structure trop profonde à un niveau d'eau normal sera plus fructueuse quand celui-ci baissera. Comme vous le constatez, la pêche en rivière offre à tous ceux qui tentent leur chance d'intéressants défis!

À celui qui veut s'adonner à la pêche en rivière, et avec succès, je recommande d'avoir non seulement quelques notions de pêche, mais aussi l'équipement nécessaire, car il est dangereux de s'aventurer seul sur une rivière inconnue.

Comme les hauts-fonds abondent dans ce type de plan d'eau, l'usage d'un appareil sonar est souhaitable car, en plus de vous indiquer constamment la profondeur et de prévenir ainsi le bris de votre hors-bord, il contribue aussi à localiser les structures de pêche.

Pour la pêche en rivière, le modèle tout indiqué est celui qui, en plus de son échelle 0-30 pi, en offre une autre de 0-60 pi. Ce dernier type de sonar fournit beaucoup plus de précision et d'informations nécessaires au succès de l'opération! Vos chances de succès augmentent si vous pouvez «lire» une rivière comme le creux de votre main.

Une excellente technique pour la capture de l'Achigan à Petite Bouche consiste à nouer solidement un hameçon de grosseur n° 4, n° 6 ou n° 8 à un monobrin de 2 à 3 kg (4 à 6 lb) de résistance. À 75 cm (30 po) de l'hameçon, placez le plomb coulissant, communément appelé «traîneau», ou marcheur de fond. Un petit émerillon, ou un plomb pincé, retient le traîneau à la hauteur désirée. Utilisez un marcheur de fond de 4 à 25 g (1/8 à 3/4 oz), selon l'endroit où vous pêchez. Observez sur l'illustration de la page 169 comment monter cette présentation

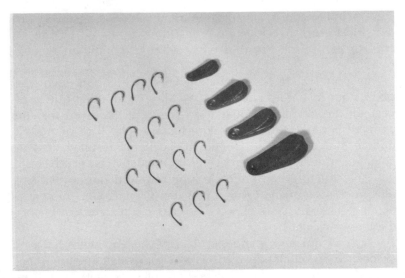

Variété de plombs (traîneaux) et d'hameçons

qui vous fera capturer de l'Achigan. Un petit Méné de 4 à 6 cm (1,5 à 2 po) de longueur appâté par la lèvre supérieure provoque davantage la Petite Bouche.

Le Raseux-de-terre est sans contredit le Méné préféré de l'Achigan à Petite Bouche. Je n'ai jamais su si l'Achigan en raffolait ou s'il en était tout simplement un ennemi, mais ce que je peux affirmer, c'est que le Raseux-de-terre ne le laisse pas indifférent... bien au contraire.

Nous avions ancré l'embarcation près d'un rapide en sachant très bien que l'Achigan, en quête d'Écrevisses et de Ménés, pouvait avoir établi ses quartiers dans cette structure-là. Il est beaucoup plus spectaculaire de ferrer un Achigan à Petite Bouche à la surface de l'eau, mais la température faisait tourner le vent; il devenait plus sage d'aller lui présenter, sous le nez, un appât naturel!

Le jour précédent nous n'avions connu qu'un succès mitigé: l'Achigan, notre hôte, semblait peu coopératif.

Après avoir délicatement appâté un Raseux à mon hameçon, je lançai en plein courant ma ligne qui entraîna mon appât

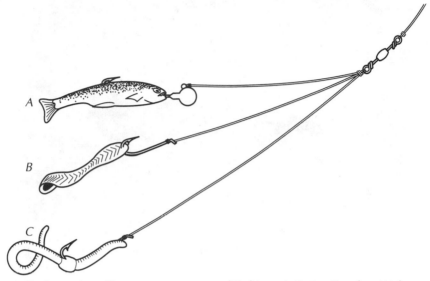

Trois appâts efficaces pour capturer l'Achigan à Petite Bouche: (A) le Vairon; (B) la Sangsue; (C) le Ver de terre.

sur une longueur de 8 m (24 pi) environ. Là, mon Méné devrait avoir du succès, pensais-je. Aussitôt, un poisson s'empara de mon Vairon et prit la fuite. Je lui fis comprendre immédiatement que l'aiguillon de mon hameçon acéré retenait mon appât! L'Achigan leurré éclaboussa la surface de l'eau et fit quelques bonds acrobatiques. Une Petite Bouche de 1 kg (2 lb) fournit un combat remarquable. Puis, le poisson piqua vers le fond. Il ne lâchait pas prise facilement, faisant preuve de force, d'endurance et de combativité.

Après quelques minutes d'action intense, un bel Achigan à Petite Bouche se retrouva dans l'épuisette.

Une fosse peut abriter 20, 30 Achigans! Ce poisson sédentaire limite son territoire aux environs d'une seule et unique structure. Cette sédentarité devient sa faiblesse lorsqu'un pêcheur découvre la cachette qu'il a adoptée. Nous devons limiter nos captures et pratiquer la remise à l'eau si nous voulons re-

Le Raseux-de-terre; un délice pour l'Achigan à Petite Bouche.

venir pêcher dans la même structure, une autre fois! Je connais de bons «trous» à Achigans mais il ne me viendrait jamais à l'idée de les vider même lorsque le poisson se laisse prendre.

Nous observions, par ce matin nuageux de printemps, que l'Achigan préférait le Raseux-de-terre à d'autres espèces de Ménés comme la Carpe et le «Shiner» que nous avions capturés dans cette même rivière, la veille.

Mes compagnons, eux aussi, décidèrent d'appâter avec ce mets de choix. Et lorsque notre plomb touchait au fond, des attaques vives et subites se produisaient. Un de mes amis tint à un moment donné au bout de sa ligne une pièce qui lui offrit une grande résistance. Nous récupérâmes nos lignes pour que son Achigan puisse manœuvrer à sa guise. Promptement, le poisson jaillit de l'eau! Quel spectacle! Après une vive bataille, le pêcheur le saisit par la mâchoire inférieure et le sortit de l'eau.

Cette capture de 2 kg (4 lb) nous stimula grandement. Nos espoirs de capturer une pièce encore plus grosse étaient fondés.

Si la technique que nous employions s'était révélée improductive, j'aurais rapidement troqué le Méné pour un «Jig» de poils ou de plastique. Mais les Achigans avaient déclaré la guerre à nos Raseux-de-terre. À notre grande satisfaction!

Une heure s'était écoulée et nous avions capturé une bonne dizaine d'Achigans. La rivière du Lièvre, dans sa partie située en haut des barrages, assouvissait notre soif d'émotions.

Juste avant de faire démarrer le moteur pour aller manger sur la rive opposée, je sentis la corde de ma ligne se tendre vivement. J'attendis quelques secondes avant de ferrer pour m'assurer que le poisson avait bien happé le Méné puis, sans préavis, je donnai un coup sec du poignet... Un Achigan d'au moins 2,5 kg (5 lb) monta à la surface de l'eau pour me présenter un superbe spectacle. Lorsque j'aperçus son ventre blanc laiteux, épais et large, je compris que ce poisson avait passé plusieurs années dans ces eaux et avait probablement déjoué les ruses les plus subtiles des pêcheurs. Son expérience, son habileté et surtout son instinct de conservation m'incitaient à redoubler de patience et à mettre la pédale douce!

Après les prouesses acrobatiques habituelles, il fila sous l'eau en donnant de vigoureux coups de tête pour se dégager du petit hameçon, si encombrant dans sa bouche.

Il s'en fallut de peu, lorsqu'il filait sous l'embarcation, que je ne le perde. Mais la chance me souriait!

Cinq minutes plus tard (car j'avais pris tout mon temps pour le «travailler»), mon compagnon puisait avec ravissement cet Achigan à Petite Bouche de 2,5 kg (5,5 lb)! Pour le Québec, c'est à mon humble avis un trophée! Lors de cette randonnée de pêche, j'ai rencontré des pêcheurs expérimentés qui en avaient pris un de 3 kg (6,5 lb)! Imaginez, un Achigan à Petite Bouche de cette taille vous donne l'espoir que des membres de sa famille sont encore en liberté!

Faire naturaliser une telle pièce pour l'immortaliser était une des deux possibilités qui s'offraient à moi. L'autre était de la remettre à l'eau! Je vous ai souvent fait part, dans ce volume ou au cours de mes émissions télévisées, de mon attitude face à la remise à l'eau. J'y crois fermement et mes intentions sont très claires: gracier un poisson qui a livré une bataille mémorable, et qui a souvent dépensé toute son énergie pour se libérer, c'est perpétuer et assurer pour l'avenir une pêche de meilleure qualité!

Le «Zug bugg»

À votre prochaine sortie de pêche, laissez-vous prendre au jeu... Remettez en liberté une seule de vos prises et vous sentirez monter en vous une grande fierté! Votre geste aura l'impact voulu si vous acceptez à l'avance de rendre la liberté à un maillon essentiel de la chaîne alimentaire.

Cette journée de pêche dans l'Outaouais, sur la rivière du Lièvre, avait répondu pleinement à mes attentes de pêcheur d'Achigans à Petite Bouche. Je me surprends parfois à rêver, surtout lorsque l'hiver nous force à remiser nos cannes à pêche, à ces beaux Achigans racés, musclés et acrobatiques que seule la région de l'Outaouais nous offre en abondance!

Conseils

Si vous voulez capturer l'Achigan à Petite Bouche à la mouche, attachez à votre soie un bas de ligne de 2 à 3 kg (de 4 à 6 lb) de résistance. C'est suffisant et plus sportif.

Les différentes structures décrites dans ce chapitre sont sûrement celles que l'Achigan préfère. Tentez-y votre chance!

Les meilleurs leurres pour capturer ce poisson sont: le «Crainkbait», le «Buzzbait», le «Spinnerbait», les «Jigs» de poils et de plastique, les cuillers à «jigger» et la fameuse «Giddit».

Le Raseux-de-terre demeure l'appât de choix de la Petite Bouche.

Une canne à lancer léger de 2,10 à 2,20 m (7 à 7,5 pi) de longueur est conseillée. Avec ce type de canne vous doublerez votre plaisir. Un monobrin de 2,2 kg (8 lb) de tension au maximum suffit.

La pêche en rivière offre aux pêcheurs plus de possibilités: le nombre de structures de ce plan d'eau, comparativement à celui d'un lac, augmente vos chances de captures.

Conclusion

Nous n'avons pas la prétention d'avoir cerné dans le présent ouvrage tous les aspects de la pêche sportive. Certaines avenues n'ont pas été explorées et nous en sommes conscients. Nous sommes certains, cependant, qu'il répond à des besoins. Au Québec, les publications relatives à la pêche ne sont pas monnaie courante.

Conçu autant pour le néophyte que pour le pêcheur expérimenté, le présent ouvrage aborde plusieurs aspects de la pêche dans une approche technique, illustrée d'anecdotes et d'expériences vécues.

Lorsqu'on parle de pêche, on associe immédiatement le sentiment de plaisir, le goût de l'aventure et celui du plein air. La pêche sportive prend de plus en plus d'ampleur à l'heure où les effets de la pollution sous toutes ses formes se manifestent dangereusement!

Nous nous inquiétons vivement des effets des retombées des pluies acides dans le milieu aquatique. Des mesures sont envisagées et l'espoir de voir ce fléau s'annihiler, à brève échéance, nous permet de conserver une lueur d'optimisme!

En pratiquant les différentes techniques que nous vous avons proposées, en recherchant les structures idéales et en utilisant un équipement de pêche approprié, vous augmenterez de 100 p. 100 vos chances de succès!

Nous vous exhortons à sensibiliser vos enfants au respect de l'environnement. Tout bon pêcheur doit être un exemple pour les autres. Un environnement sain est sûrement le plus bel héritage que nous puissions léguer à nos filles et à nos fils.

Bonne pêche!

Glossaire

Amont: La partie d'un cours d'eau comprise entre un point donné et la source de ce cours d'eau. C'est de là que vient le courant.

Anadrome: Se dit d'un poisson, le Saumon Atlantique par exemple, qui se reproduit dans une rivière (en eau douce), mais qui évolue dans les eaux salées pour s'alimenter.

Aval: La partie d'un cours d'eau comprise entre un point donné et l'embouchure de ce cours d'eau. C'est dans cette direction que descend le courant.

Bathymétrique (carte): Carte géographique indiquant les différentes profondeurs d'un lac.

Batracien: Animal vertébré amphibie, à peau nue et à respiration branchiale ou pulmonaire et cutanée (par exemple, la Grenouille). Les Batraciens peuvent pondre de 50 à 10 000 œufs.

Brin: Canne fabriquée d'une seule pièce.

Canicule: Période de chaleur continue. (Très rare au Québec!)

Castillon: Saumon qui demeure une année de plus dans sa rivière natale (trois ans au lieu de deux) et qui, à maturité, sera donc beaucoup plus petit qu'un Saumon mature ayant vécu trois ans en mer. Synonyme: Grisle.

Ciré: Partie de la rivière où l'eau coule librement. Absence de rapide, de bouillons. Eau relativement calme. Début d'un rapide et fin d'une fosse.

Détecteur de fond: Appareil servant à localiser les différentes profondeurs d'un plan d'eau, muni d'un dispositif ou cadran numérique.

Eutrophe (lac): Lac peu profond et dont la température est tempérée. Lac qui abrite des poissons d'eau chaude.

Flipping: Méthode qui consiste à présenter une dandinette à travers les herbiers denses.

Fossiles: Se dit de débris, d'empreintes de plantes ou d'animaux ensevelis dans les couches terrestres antérieures à la période géologique actuelle et qui s'y sont conservés.

Gaze: Étoffe légère et transparente, de coton ou de soie.

Glaciaire (lac): Lac formé au cours de la période géologique marquée par le développement des glaciers.

Glissade: Technique de pêche qui consiste à faire rouler le moteur à la même vitesse que le courant.

Graphite: Composé de fibres de rayonne recouvert de résine d'époxy dont on se sert dans la fabrication des cannes à pêche.

Grégarisme: Instinct qui pousse certaines espèces de poissons, comme le Doré et l'Achigan, à s'assembler et à adopter un même comportement.

Hauts-fonds: La partie d'un plan d'eau (lac, rivière, etc.) que l'on retrouve en haut des pentes du relief sous-marin.

Lucifuge: Poisson qui fuit la lumière.

Lunettes à verre polarisé: Lunettes conçues spécialement pour le pêcheur et servant particulièrement à mieux percevoir les poissons dans l'eau.

Métabolisme: L'ensemble des transformations subies dans un organisme vivant (un poisson) par les substances qu'il absorbe.

Micro-organisme: Constitué par une seule cellule vivante. Animal (protozoaires), végétal (algues, bacilles, bactéries, etc.); ensemble de substances organisées qui entrent dans la composition de tous les êtres vivants; toute matière organique contenant du carbone.

Monobrin: Communément appelé monofilament. Fil de nylon servant à la pêche.

Opercule: Voile osseux qui recouvre les branchies chez les poissons osseux (Maskinongé, Brochet, Doré, etc).

Phototropisme visuel: Réaction de certains êtres unicellulaires, et applicable à l'œil du Doré, lorsqu'il se produit un brusque éclairement.

Poisson négatif: Poisson dont le métabolisme est au ralenti.

Roches stratifiées: Chacune des couches de roches sédimentaires superposées dans la croûte. Dans le fleuve Saint-Laurent, on retrouve plusieurs de ces roches submergées qui produisent une chaîne.

SÉPAQ: Organisme gouvernemental québécois qui gère plusieurs pourvoiries publiques de pêche. Ce sigle veut dire: Société d'établissements de plein air du Québec.

Serf: Toute personne qui était attachée à une terre et dépendait d'un seigneur, au Moyen Âge.

Serre-queue: Instrument de pêche servant à saisir le Saumon par la queue.

Sonar: Appareil muni d'un émetteur et conçu pour détecter électroniquement la profondeur de l'eau, la nature du fond, les obstacles et surtout les poissons. Il existe plusieurs modèles d'écrans: à cristal liquide, à rapport imprimé (graphique), à écran cathodique et à cadran lumineux.

Structure: Endroit propice à la capture du poisson que l'on peut reconnaître à vue, comme les îles, les rapides et les obstacles naturels (troncs d'arbres, roches, herbiers, etc.), ou tous les endroits non visibles, tels que les selles, les fosses, les pointes et les îles sous-marines, que seuls le sonar et le détecteur de fond peuvent localiser. Cette nouvelle terminologie évoque bien l'image que l'on se fait des endroits de pêche préférés des sportifs.

Thermocline: Zone ou strate d'un lac qui marque un changement brusque de température. En période de canicule, les Salmonidés préfèrent y évoluer puisque la couche supérieure est trop chaude et la couche inférieure trop froide et pauvre en oxygène.

Vairon: Appât vivant (petit poisson d'eau douce).

Bibliographie

LIVRES

CHAMBERLAND, M., *La Pêche au Québec*, Les Éditions de l'Homme, 1966, 344 p.

Éditeurs du Magazine *Sentier Chasse et Pêche* (les), *L'Art du montage des mouches*, 1987, 206 p.

Éditeurs du Magazine *Sentiers Chasse et Pêche* (les), *Saumon Atlantique*, 1988, 208 p.

HOLLAND, Dan, *The Trout Fisherman's Bible*, Doubleday & Company Inc., 1949, 190 p.

HUGUES, Dave, *American Fly Tying Manual*, Frank Amato Publications, 1986, 48 p.

KAUFMAN, Randal, *American Nymph Fly Tying Manual*, Frank Amato Publications, 1986, 93 p.

SCOTT, W. B. et E. J. CROSSMAN, *Poissons d'eau douce du Canada*, Office des recherches sur les pêcheries du Canada, Ottawa, 1974, 1026 p.

STEWARD, Dick, *Universal Fly Tying Guide*, The Stephen Green Press, 1979, 48 p.

TALLEUR, W. Richard, *Fly Fishing for Trout. A Guide for Adult Beginners*, Winchester Press, 1970, 48 p.

ÉTUDES

LEGENDRE, V., MONGEAU, J.-R., LECLERC, J. et J. BRISEBOIS, *Les Salmonidés des eaux de la plaine de Montréal*, 1. Histoire, Rapport Technique n° 06-27, 1980, 280 p.

MONGEAU, J.-R., *La Dynamique de la population des Grands Brochets, Esox lucius*, 1. Du Lac Imp., parc du Mont-Tremblant, Rapport n° 06-8, 1979, 76 p.

MONGEAU, J.-R., *L'Implantation de la Truite Brune, Salmo Trutta, dans les eaux de la plaine de Montréal*, 1979, 49 p.

MONGEAU, J.-R., LECLERC, J. et J. BRISEBOIS, *La Répartition géographique des poissons, les ensemencements, la pêche sportive et commerciale, les frayères et la bathymétrie du fleuve Saint-Laurent dans le bassin de la Prairie et les rapides de Lachine*, Rapport technique n° 06-29, 1980, 145 p.

MONGEAU, J.-R., LEGENDRE, V., LECLERC, J. et J. BRISEBOIS, *Les Salmonidés des eaux de la plaine de Montréal*, Rapport technique n° 06-26, 1980, 139 p.

MONGEAU, J.-R. et J. BRISEBOIS, *Ce qu'il advient des Truites ensemencées dans les eaux de la plaine de Montréal d'après les expériences d'étiquetage et de captures de 1977 à 1987 inclusivement*, Rapport technique n° 06-35, 1982, 47 p.

VINCENT, B. et V. LEGENDRE, *Répartition géographique du Maskinongé, Esox masquinongy, dans le district des Laurentides*, Rapport technique n° 06-21, 1980, 280 p.

REVUES

World Record Game Fishes, IGFA, 1987, 320 p.

Field & Stream, mars 1988.

Pêche Magazine, n° 13, mai 1988.

MATÉRIEL AUDIO-VISUEL

LAPOINTE, Jocelyn, *La Pêche au Brochet,* TAPS vidéo inc., 1985.

LAPOINTE, Jocelyn, *L'A.B.C.... de la pêche au Doré,* TAPS vidéo inc., 1985.

LAPOINTE, Jocelyn, *La Pêche sur glace,* TAPS vidéo inc., 1984.

LAPOINTE, Jocelyn, *Les Poissons des Grands Lacs,* TAPS vidéo inc., 1984.

Table des matières

Ouvrages parus chez les éditeurs du groupe Sogides

* Pour l'Amérique du Nord seulement

AFFAIRES

* **Acheter une franchise,** Levasseur, Pierre
* **Bourse, La,** Brown, Mark
* **Comprendre le marketing,** Levasseur, Pierre
* **Devenir exportateur,** Levasseur, Pierre
  Étiquette des affaires, L', Jankovic, Elena
* **Faire son testament soi-même,** Poirier, Me Gérald et Lescault-Nadeau, Martine
  Finances, Les, Hutzler, Laurie H.
  Gérer ses ressources humaines, Levasseur, Pierre

Gestionnaire, Le, Colwell, Marian
Informatique, L', Cone, E. Paul
* **Lancer son entreprise,** Levasseur, Pierre
Leadership, Le, Cribbin, James
Meeting, Le, Holland, Gary
Mémo, Le, Reinold, Cheryl
* **Ouvrir et gérer un commerce de détail,** Roberge, C.-D. et Charbonneau, A.
Patron, Le, Reinold, Cheryl
* **Stratégies de placements,** Nadeau, Nicole

ANIMAUX

Art du dressage, L', Chartier, Gilles
Cheval, Le, Leblanc, Michel
Chien dans votre vie, Le, Margolis, M. et Swan, C.
Éducation du chien de 0 à 6 mois, L', DeBuyser, Dr Colette et Dehasse, Dr Joël
* **Encyclopédie des oiseaux,** Godfrey, W. Earl
Guide de l'oiseau de compagnie, Le, Dr R. Dean Axelson
Guide des oiseaux, Le, T.1, Stokes, W. Donald
Guide des oiseaux, Le, T.2, Stokes, W. Donald et Stokes, Q. Lilian

* **Mon chat, le soigner, le guérir,** D'Orangeville, Christian
Observations sur les mammifères, Provencher, Paul
* **Papillons du Québec, Les,** Veilleux, Christian et Prévost, Bernard
Petite ferme, T.1, Les animaux, Trait, Jean-Claude
Vous et vos oiseaux de compagnie, Huard-Viau, Jacqueline
Vous et vos poissons d'aquarium, Ganiel, Sonia
Vous et votre beagle, Eylat, Martin
Vous et votre berger allemand, Eylat, Martin

ANIMAUX

Vous et votre boxer, Herriot, Sylvain
Vous et votre braque allemand,
Eylat, Martin
Vous et votre caniche, Shira, Sav
Vous et votre chat de gouttière,
Mamzer, Annie
Vous et votre chat tigré, Eylat, Odette
Vous et votre chihuahua, Eylat, Martin
Vous et votre chow-chow,
Pierre Boistel
Vous et votre cocker américain,
Eylat, Martin
Vous et votre collie, Éthier, Léon
Vous et votre dalmatien, Eylat, Martin
Vous et votre danois, Eylat, Martin
Vous et votre doberman, Denis, Paula
Vous et votre fox-terrier, Eylat, Martin
Vous et votre golden retriever,
Denis, Paula
Vous et votre husky, Eylat, Martin

Vous et votre labrador,
Van Der Heyden, Pierre
Vous et votre lévrier afghan,
Eylat, Martin
Vous et votre lhassa apso,
Van Der Heyden, Pierre
Vous et votre persan, Gadi, Sol
Vous et votre petit rongeur,
Eylat, Martin
Vous et votre schnauzer, Eylat, Martin
Vous et votre serpent, Deland, Guy
Vous et votre setter anglais,
Eylat, Martin
Vous et votre shih-tzu, Eylat, Martin
Vous et votre siamois, Eylat, Odette
Vous et votre teckel, Boistel, Pierre
Vous et votre terre-neuve,
Pacreau, Marie-Edmée
Vous et votre yorkshire,
Larochelle, Sandra

ARTISANAT/BRICOLAGE

Art du pliage du papier, L',
Harbin, Robert
* **Artisanat québécois, T.1,** Simard, Cyril
* **Artisanat québécois, T.2,** Simard, Cyril
* **Artisanat québécois, T.3,** Simard, Cyril
* **Artisanat québécois, T.4,** Simard, Cyril
et Bouchard, Jean-Louis
* **Construire des cabanes d'oiseaux,**
Dion, André

* **Encyclopédie de la maison québécoise,**
Lessard, Michel et Villandré, Gilles
* **Encyclopédie des antiquités,**
Lessard, Michel et Marquis, Huguette
* **J'apprends à dessiner,** Nassh, Joanna
Taxidermie moderne, La, Labrie, Jean
* **Tissage, Le,** Grisé-Allard, Jeanne et
Galarneau, Germaine
Vitrail, Le, Bettinger, Claude

BIOGRAPHIES

* **Brian Orser - Maître du triple axel,**
Orser, Brian et Milton, Steve
* **Dans la fosse aux lions,** Chrétien, Jean
* **Dans la tempête,** Lachance, Micheline
* **Duplessis, T.1 - L'ascension,**
Black, Conrad
* **Duplessis, T.2 - Le pouvoir,**
Black, Conrad
* **Ed Broadbent - La conquête obstinée
du pouvoir,** Steed, Judy
* **Establishment canadien, L',**
Newman, Peter C.
* **Larry Robinson,** Robinson, Larry et
Goyens, Chrystian
* **Michel Robichaud - Monsieur Mode,**
Charest, Nicole

* **Monopole, Le,** Francis, Diane
* **Nouveaux riches, Les,**
Newman, Peter C.
* **Paul Desmarais - Un homme et son em-
pire,** Greber, Dave
* **Plamondon - Un cœur de rockeur,**
Godbout, Jacques
* **Prince de l'Église, Le,** Lachance, Micheline
* **Québec Inc.,** Fraser, M.
* **Rick Hansen - Vivre sans frontières,**
Hansen, Rick et Taylor, Jim
* **Saga des Molson, La,** Woods, Shirley
* **Sous les arches de McDonald's,**
Love, John F.
* **Trétiak, entre Moscou et Montréal,**
Trétiak, Vladislav

BIOGRAPHIES

* Une femme au sommet - Son
  excellence Jeanne Sauvé,
  Woods, Shirley E.

CARRIÈRE/VIE PROFESSIONNELLE

* Choix de carrières, T.1, Milot, Guy
* Choix de carrières, T.2, Milot, Guy
* Choix de carrières, T.3, Milot, Guy
  Comment rédiger son curriculum vitae,
  Brazeau, Julie
  Guide du succès, Le, Hopkins, Tom
* Je cherche un emploi, Brazeau, Julie
  Parlez pour qu'on vous écoute,
  Brien, Michèle

Relations publiques, Les, Doin, Richard
et Lamarre, Daniel
Techniques de vente par téléphone,
Porterfield, J.-D.
* Test d'aptitude pour choisir sa carrière,
  Barry, Linda et Gale
Une carrière sur mesure,
Lemyre-Desautels, Denise
Vente, La, Hopkins, Tom

CUISINE

* À table avec Sœur Angèle,
  Sœur Angèle
* Art d'apprêter les restes, L',
  Lapointe, Suzanne
  Barbecue, Lo, Dard, Patrice
* Biscuits, brioches et beignes,
  Saint-Pierre, A.
* Boîte à lunch, La,
  Lambert-Lagacé, Louise
  Brunches et petits déjeuners en fête,
  Bergeron, Yolande
  100 recettes de pain faciles à réaliser,
  Saint-Pierre, Angéline
* Confitures, Les, Godard, Misette
  Congélation de A à Z, La, Hood, Joan
  Congélation des aliments, La,
  Lapointe, Suzanne
  Conserves, Les, Sœur Berthe
  Crème glacée et sorbets, Lebuis, Yves
  et Pauzé, Gilbert
  Crêpes, Les, Letellier, Julien
  Cuisine au wok, Solomon, Charmaine
  Cuisine aux micro-ondes 1 et
  2 portions, Marchand, Marie-Paul
* Cuisine chinoise traditionnelle, La,
  Chen, Jean
* Cuisine créative Campbell, La,
  Cie Campbell
  Cuisine facile aux micro-ondes,
  Saint-Amour, Pauline
* Cuisine joyeuse de Sœur Angèle, La,
  Sœur Angèle
  Cuisine micro-ondes, La, Benoît, Jehane

* Cuisine santé pour les aînés,
  Hunter, Denyse
  Cuisiner avec le four à convection,
  Benoît, Jehane
* Cuisiner avec les champignons sau-
  vages du Québec, Leclerc, Claire L.
  Faire son pain soi-même,
  Murray Gill, Janice
* Faire son vin soi-même,
  Beaucage, André
  Fine cuisine aux micro-ondes, La,
  Dard, Patrice
  Fondues et flambées de maman
  Lapointe, Lapointe, Suzanne
  Fondues, Les, Dard, Patrice
  Je me débrouille en cuisine,
  Richard, Diane
  Livre du café, Le, Letellier, Julien
  Menus pour recevoir, Letellier, Julien
  Muffins, Les, Clubb, Angela
  Nouvelle cuisine micro-ondes I, La,
  Marchand, Marie-Paul et
  Grenier, Nicole
  Nouvelles cuisine micro-ondes II, La,
  Marchand, Marie-Paul et
  Grenier, Nicole
  Omelettes, Les, Letellier, Julien
  Pâtes, Les, Letellier, Julien
* Pâtisserie, La, Bellot, Maurice-Marie
* Recettes au blender, Huot, Juliette
* Recettes de gibier, Lapointe, Suzanne
* Robot culinaire, Le, Martin, Pol

DIÉTÉTIQUE

Combler ses besoins en calcium,
Hunter, Denyse
* Compte-calories, Le, Brault-Dubuc, M.
et Caron Lahaie, L.
* Cuisine du monde entier avec Weight
Watchers, Weight Watchers
Cuisine sage, Une, Lambert-Lagacé,
Louise
Défi alimentaire de la femme, Le,
Lambert-Lagacé, Louise
* Diète Rotation, La, Katahn, Dr Martin
* Diététique dans la vie quotidienne,
Lambert-Lagacé, Louise
Livre des vitamines, Le, Mervyn, Leonard
Menu de santé, Lambert-Lagacé, Louise
Oubliez vos allergies, et… bon appétit,
Association de l'information sur les
allergies

* Petite et grande cuisine végétarienne,
Bédard, Manon
* Plan d'attaque Weight Watchers, Le,
Nidetch, Jean
* Plan d'attaque Plus Weight Watchers,
Le, Nidetch, Jean
* Régimes pour maigrir,
Beaudoin, Marie-Josée
Sage bouffe de 2 à 6 ans, La,
Lambert-Lagacé, Louise
* Weight Watchers - Cuisine rapide et
savoureuse, Weight Watchers
* Weight Watchers - Agenda 85 -
Français, Weight Watchers
* Weight Watchers - Agenda 85 -
Anglais, Weight Watchers
* Weight Watchers - Programme -
Succès Rapide, Weight Watchers

ENFANCE

* Aider son enfant en maternelle,
Pedneault-Pontbriand, Louise
Années clés de mon enfant, Les,
Caplan, Frank et Thérèsa
Art de l'allaitement maternel, L',
Ligue internationale La Leche
Avoir un enfant après 35 ans,
Robert, Isabelle
Bientôt maman, Whalley, J., Simkin, P.
et Keppler, A.
Comment nourrir son enfant,
Lambert-Lagacé, Louise
Deuxième année de mon enfant, La,
Caplan, Frank et Thérèsa
Développement psychomoteur du
bébé, Calvet, Didier
Douze premiers mois de mon enfant,
Les, Caplan, Frank
* En attendant notre enfant,
Pratte-Marchessault, Yvette
* Enfant unique, L', Peck, Ellen
Évoluer avec ses enfants,
Gagné, Pierre-Paul
Exercices aquatiques pour les futures
mamans, Dussault, J. et Demers, C.
* Femme enceinte, La,
Bradley, Robert A.

* Futur père, Pratte-Marchessault, Yvette
Jouons avec les lettres,
Doyon-Richard, Louise
Langage de votre enfant, Le,
Langevin, Claude
Mal des mots, Le, Thériault, Denise
Manuel Johnson et Johnson des
premiers soins, Le, Rosenberg,
Dr Stephen N.
Massage des bébés, Le,
Auckette, Amédia D.
Mon enfant naîtra-t-il en bonne santé?
Scher, Jonathan et Dix, Carol
* Pour bébé, le sein ou le biberon?
Pratte-Marchessault, Yvette
* Pour vous future maman, Sekely, Trude
Préparez votre enfant à l'école,
Doyon-Richard, Louise
Psychologie de l'enfant de 0 à 10 ans,
Cholette-Pérusse, Françoise
Respirations et positions
d'accouchement, Dussault, Joanne
Soins de la première année de bébé,
Les, Kelly, Paula
Tout se joue avant la maternelle,
Ibuka, Masaru

ÉSOTÉRISME

Avenir dans les feuilles de thé, L,
 Fenton, Sasha
Graphologie, La, Santoy, Claude
Interprétez vos rêves, Stanké, Louis
Lignes de la main, Stanké, Louis

Lire dans les lignes de la main,
 Morin, Michel
Vos rêves sont des miroirs, Cayla, Henri
Votre avenir par les cartes,
 Stanké, Louis

HISTOIRE

* **Arrivants, Les,** Collectif
* **Civilisation chinoise, La,** Guay, Michel
* **Or des cavaliers thraces, L',**
 Palais de la civilisation

* **Samuel de Champlain,**
 Armstrong, Joe C.W.

JARDINAGE

* **Chasse-insectes pour jardins, Le,**
 Michaud, O.
* **Comment cultiver un jardin potager,**
 Trait, J.-C.
* **Encyclopédie du jardinier,**
 Perron, W. H.
* **Guide complet du jardinage,**
 Wilson, Charles
J'aime les azalées, Deschênes, Josée
J'aime les cactées, Lamarche, Claude
J'aime les rosiers, Pronovost, René
J'aime les tomates, Berti, Victor

J'aime les violettes africaines,
 Davidson, Robert
Jardin d'herbes, Le, Prenis, John
* **Je me débrouille en aménagement
 extérieur,** Bouillon, Daniel et
 Boisvert, Claude
* **Petite ferme, T.2- Jardin potager,**
 Trait, Jean-Claude
* **Plantes d'intérieur, Les,** Pouliot, Paul
* **Techniques de jardinage, Les,**
 Pouliot, Paul
Terrariums, Les, Kayatta, Ken

JEUX/DIVERTISSEMENTS

* **Améliorons notre bridge,**
 Durand, Charles
* **Bridge, Le,** Beaulieu, Viviane
* **Clés du scrabble, Les,** Sigal, Pierre A.
**Dictionnaire des mots croisés, noms
 communs,** Lasnier, Paul
**Dictionnaire des mots croisés, noms
 propres,** Piquette, Robert
Dictionnaire raisonné des mots croisés,
 Charron, Jacqueline

* **Jouons ensemble,** Provost, Pierre
Livre des patiences, Le, Bezanovska, M.
 et Kitchevats, P.
Monopoly, Orbanes, Philip
* **Ouverture aux échecs,** Coudari, Camille
* **Scrabble, Le,** Gallez, Daniel
Techniques du billard, Morin, Pierre

LINGUISTIQUE

Anglais par la méthode choc, L',
 Morgan, Jean-Louis
J'apprends l'anglais, Sillicani, Gino et
 Grisé-Allard, Jeanne

* **Secrétaire bilingue, La,** Lebel, Wilfrid

LIVRES PRATIQUES

* **Acheter ou vendre sa maison,**
  Brisebois, Lucille
* **Assemblées délibérantes, Les,**
  Girard, Francine
  Chasse-insectes dans la maison, Le,
  Michaud, O.
  Chasse-taches, Le, Cassimatis, Jack
* **Comment réduire votre impôt,**
  Leduc-Dallaire, Johanne
* **Guide de la haute-fidélité, Le,**
  Prin, Michel
  **Je me débrouille en aménagement
  intérieur,** Bouillon, Daniel et
  Boisvert, Claude
  Livre de l'étiquette, Le, du Coffre,
  Marguerite
* **Loi et vos droits, La,**
  Marchand, Me Paul-Émile
* **Maîtriser son doigté sur un clavier,**
  Lemire, Jean-Paul
* **Mécanique de mon auto, La,** Time-Life
* **Mon automobile,** Collège Marie-Victorin
  et Gouv. du Québec

  **Notre mariage (étiquette et
  planification),**
  du Coffre, Marguerite
* **Petits appareils électriques,**
  Collaboration
  Petit guide des grands vins, Le,
  Orhon, Jacques
* **Piscines, barbecues et patio,**
  Collaboration
* **Roulez sans vous faire rouler, T.3,**
  Edmonston, Philippe
  Séjour dans les auberges du Québec,
  Cazelais, Normand et
  Coulon, Jacques
  Se protéger contre le vol,
  Kabundi, Marcel et
  Normandeau, André
* **Tout ce que vous devez savoir sur le
  condominium,** Dubois, Robert
  Univers de l'astronomie, L',
  Tocquet, Robert
  Week-end à New York, Tavernier-
  Cartier, Lise

MUSIQUE

Chant sans professeur, Le,
Hewitt, Graham
Guitare, La, Collins, Peter
Guitare sans professeur, La,
Evans, Roger

Piano sans professeur, Le, Evans, Roger
Solfège sans professeur, Le,
Evans, Roger

NOTRE TRADITION

* **Encyclopédie du Québec, T.2,**
  Landry, Louis
  Généalogie, La, Faribeault-Beauregard,
  M. et Beauregard Malak, E.
* **Maison traditionnelle au Québec, La,**
  Lessard, Michel

* **Moulins à eau de la vallée du Saint-
  Laurent, Les,** Villeneuve, Adam
* **Sculpture ancienne au Québec, La,**
  Porter, John R. et Bélisle, Jean
* **Temps des fêtes au Québec, Le,**
  Montpetit, Raymond

PHOTOGRAPHIE

**Apprenez la photographie avec
Antoine Désilets,** Désilets, Antoine
8/Super 8/16, Lafrance, André
Fabuleuse lumière canadienne,
Hines, Sherman
* **Initiation à la photographie,**
  London, Barbara

* **Initiation à la photographie-Canon,**
  London, Barbara
* **Initiation à la photographie-Minolta,**
  London, Barbara
* **Initiation à la photographie-Nikon,**
  London, Barbara

PHOTOGRAPHIE

* Initiation à la photographie-Olympus,
  London, Barbara
* Initiation à la photographie-Pentax,
  London, Barbara

Photo à la portée de tous, La,
  Désilets, Antoine

PSYCHOLOGIE

Aider mon patron à m'aider,
  Houde, Eugène
* Amour de l'exigence à la préférence,
  L', Auger, Lucien
Apprivoiser l'ennemi intérieur,
  Bach, Dr G. et Torbet, L.
Art d'aider, L', Carkhuff, Robert R.
Auto-développement, L', Garneau, Jean
* Bonheur au travail, Le, Houde, Eugène
Bonheur possible, Le, Blondin, Robert
Ces hommes qui méprisent les
  femmes... et les femmes qui les
  aiment, Forward, Dr S. et
  Torres, J.
Changer ensemble, les étapes du
  couple, Campbell, Suzan M.
Chimie de l'amour, La,
  Liebowitz, Michael
Comment animer un groupe,
  Office Catéchèse
Comment déborder d'énergie,
  Simard, Jean-Paul
Communication dans le couple, La,
  Granger, Luc
Communication et épanouissement
  personnel, Auger, Lucien
Contact, Zunin, L. et N.
Découvrir un sens à sa vie avec la logo-
  thérapie, Frankl, D^r V.
* Dynamique des groupes, Aubry, J.-M.
  et Saint-Arnaud, Y.
Élever des enfants sans perdre la
  boule, Auger, Lucien
Enfants de l'autre, Les, Paris, Erna
Être soi-même, Corkille Briggs, D.
Facteur chance, Le, Gunther, Max
Infidélité, L', Leigh, Wendy
Intuition, L', Goldberg, Philip
* J'aime, Saint-Arnaud, Yves
Journal intime intensif, Le, Progoff, Ira
Mensonge amoureux, Le,
  Blondin, Robert
Parce que je crois aux enfants,
  Ruffo, Andrée

Parle-moi... j'ai des choses à te dire,
  Salomé, Jacques
Perdant / Gagnant - Réussissez vos
  échecs, Hyatt, Carole et
  Gottlieb, Linda
* Personne humaine, La ,
  Saint-Arnaud, Yves
* Plaisirs du stress, Les,
  Hanson, Dr Peter, G.
Pourquoi l'autre et pas moi? - Le droit
  à la jalousie, Auger, Dr Louise
Prévenir et surmonter la déprime,
  Auger, Lucien
* Prévoir les belles années de la retraite,
  D. Gordon, Michael
* Psychologie de l'amour romantique,
  Branden, D^r N.
Puissance de l'intention, La,
  Leider, R.-J.
S'affirmer et communiquer, Beaudry,
  Madeleine et Boisvert, J.R.
S'aider soi-même, Auger, Lucien
S'aider soi-même d'avantage,
  Auger, Lucien
* S'aimer pour la vie, Wanderer, Dr Zev
Savoir organiser, savoir décider,
  Lefebvre, Gérald
Savoir relaxer pour combattre le
  stress, Jacobson, Dr Edmund
Se changer, Mahoney, Michael
Se comprendre soi-même par les tests,
  Collectif
Se connaître soi-même, Artaud, Gérard
Se créer par la Gestalt, Zinker, Joseph
* Se guérir de la sottise, Auger, Lucien
Si seulement je pouvais changer!
  Lynes, P.
Tendresse, La, Wolfl, N.
Vaincre ses peurs, Auger, Lucien
Vivre avec sa tête ou avec son cœur,
  Auger, Lucien

ROMANS/ESSAIS/DOCUMENTS

* **Baie d'Hudson, La,** Newman, Peter, C.
* **Conquérants des grands espaces, Les,**
  Newman, Peter, C.
* **Des Canadiens dans l'espace,**
  Dotto, Lydia
* **Dieu ne joue pas aux dés,** Laborit, Henri
* **Frères divorcés, Les,** Godin, Pierre
* **Insolences du Frère Untel, Les,**
  Desbiens, Jean-Paul
* **J'parle tout seul,** Coderre, Émile

* **Option Québec,** Lévesque, René
* **Oui,** Lévesque, René
* **Provigo,** Provost, René et
  Chartrand, Maurice
* **Sur les ailes du temps (Air Canada),**
  Smith, Philip
* **Telle est ma position,** Mulroney, Brian
* **Trois semaines dans le hall du Sénat,**
  Hébert, Jacques
* **Un second souffle,** Hébert, Diane

SANTÉ/BEAUTÉ

* **Ablation de la vésicule biliaire, L',**
  Paquet, Jean-Claude
* **Ablation des calculs urinaires, L',**
  Paquet, Jean-Claude
* **Ablation du sein, L',** Paquet, Jean-claude
* **Allergies, Les,** Delorme, Dr Pierre
  Bien vivre sa ménopause,
  Gendron, Dr Lionel
  Charme et sex-appeal au masculin,
  Lemelin, Mireille
  Chasse-rides, Leprince, C.
* **Chirurgie vasculaire, La,**
  Paquet, Jean-Claude
  Comment devenir et rester mince,
  Mirkin, Dr Gabe
  De belles jambes à tout âge,
  Lanctôt, D^r G.
* **Dialyse et la greffe du rein, La,**
  Paquet, Jean-Claude
  Être belle pour la vie, Bronwen, Meredith
  Glaucomes et les cataractes, Les,
  Paquet, Jean-Claude
* **Grandir en 100 exercices,**
  Berthelet, Pierre
* **Hernies discales, Les,**
  Paquet, Jean-Claude
  Hystérectomie, L', Alix, Suzanne
  Maigrir: La fin de l'obsession,
  Orbach, Susie
* **Malformations cardiaques**
  congénitales, Les,
  Paquet, Jean-Claude
  Maux de tête et migraines,
  Meloche, Dr J. , Dorion, J.
  Perdre son ventre en 30 jours H-F, Bur-
  stein, Nancy et Roy, Matthews

* **Pontage coronarien, Le,**
  Paquet, Jean-Claude
* **Prothèses d'articulation,**
  Paquet, Jean-Claude
* **Redressements de la colonne,**
  Paquet, Jean-Claude
* **Remplacements valvulaires, Les,**
  Paquet, Jean-Claude
  Ronfleurs, réveillez-vous, Piché, D^r· J.
  et Delage, J.
  Syndrome prémenstruel, Le,
  Shreeve, Dr Caroline
  Travailler devant un écran,
  Feeley, Dr Helen
  30 jours pour avoir de beaux cheveux,
  Davis, Julie
  30 jours pour avoir de beaux ongles,
  Bozic, Patricia
  30 jours pour avoir de beaux seins,
  Larkin, Régina
  30 jours pour avoir de belles fesses,
  Cox, D. et Davis, Julie
  30 jours pour avoir un beau teint,
  Zizmon, Dr Jonathan
  30 jours pour cesser de fumer,
  Holland, Gary et Weiss, Herman
  30 jours pour mieux s'organiser,
  Holland, Gary
  30 jours pour redevenir un couple
  amoureux, Nida, Patricia et
  Cooney, Kevin
  30 jours pour un plus grand épanouisse-
  ment sexuel, Schneider, A.
  Vos dents, Kandelman, Dr Daniel
  Vos yeux, Chartrand, Marie et
  Lepage-Durand, Micheline

SEXUALITÉ

Contacts sexuels sans risques,
  I.A.S.H.S.
* Guide illustré du plaisir sexuel,
  Corey, Dr Robert et Helg, E.
Ma sexualité de 0 à 6 ans,
  Robert, Jocelyne
Ma sexualité de 6 à 9 ans,
  Robert, Jocelyne
Ma sexualité de 9 à 12 ans,
  Robert, Jocelyne
Mille et une bonnes raisons pour le
  convaincre d'enfiler un condom et
  pourquoi c'est important pour
  vous..., Bretman, Patti,
  Knutson, Kim et Reed, Paul

* Nous on en parle, Lamarche, M. et
  Danheux, P.
Pour jeunes seulement, photoroman
  d'éducation à la sexualité,
  Robert, Jocelyne
Sexe au féminin, Le, Kerr, Carmen
Sexualité du jeune adolescent, La,
  Gendron, Lionel
Shiatsu et sensualité, Rioux, Yuki
* 100 trucs de billard, Morin, Pierre

SPORTS

Apprenez à patiner, Marcotte, Gaston
Arc et la chasse, L', Guardo, Greg
Armes de chasse, Les,
  Petit-Martinon, Charles
Badminton, Le, Corbeil, Jean
* Canadiens de 1910 à nos jours, Les,
  Turowetz, Allan et Goyens, C.
Carte et boussole, Kjellstrom, Bjorn
Comment se sortir du trou au golf,
  Brien, Luc
Comment vivre dans la nature,
  Rivière, Bill
Corrigez vos défauts au golf,
  Bergeron, Yves
* Curling, Le, Lukowich, E.
De la hanche aux doigts de pieds,
  Schneider, Myles J. et
  Sussman, Mark D.
Devenir gardien de but au hockey,
  Allaire, François
Golf au féminin, Le, Bergeron, Yves
Grand livre des sports, Le,
  Groupe Diagram
Guide complet de la pêche à la
  mouche, Le, Blais, J.-Y.
Guide complet du judo, Le, Arpin, Louis
Guide complet du self-defense, Le,
  Arpin, Louis
Guide de l'alpinisme, Le,
  Cappon, Massimo
Guide de la survie de l'armée
  américaine, Le, Collectif
Guide des jeux scouts, Association des
  scouts
Guide du trappeur, Le, Provencher, Paul
Initiation à la planche à voile, Wulff, D.
  et Morch, K.

J'apprends à nager, Lacoursière, Réjean
Je me débrouille à la chasse,
  Richard, Gilles et Vincent, Serge
Je me débrouille à la pêche,
  Vincent, Serge
Je me débrouille à vélo,
  Labrecque, Michel et Boivin, Robert
Je me débrouille dans une
  embarcation, Choquette, Robert
Jogging, Le, Chevalier, Richard
* Jouez gagnant au golf, Brien, Luc
* Larry Robinson, le jeu défensif,
  Robinson, Larry
Manuel de pilotage, Transport Canada
Marathon pour tous, Le, Anctil, Pierre
Maxi-performance, Garfield, Charles A.
  et Bennett, Hal Zina
Mon coup de patin, Wild, John
Musculation pour tous, La,
  Laferrière, Serge
* Partons en camping, Satterfield, Archie
  et Bauer, Eddie
Partons sac au dos, Satterfield, Archie
  et Bauer, Eddie
Passes au hockey, Chapleau, Claude
Pêche à la mouche, La, Marleau, Serge
Pêche à la mouche, La, Vincent, Serge
Planche à voile, La, Maillefer, Gérard
Programme XBX, Aviation Royale du
  Canada
Racquetball, Corbeil, Jean
Racquetball plus, Corbeil, Jean
Rivières et lacs canotables, Fédération
  québécoise du canot-camping
S'améliorer au tennis, Chevalier Richard
Saumon, Le, Dubé, J.-P.

SPORTS

Secrets du baseball, Les,
Raymond, Claude
Ski de randonnée, Le, Corbeil, Jean
Taxidermie, La, Labrie, Jean
Taxidermie moderne, La, Labrie, Jean
Techniques du billard, Morin, Pierre
Techniques du golf, Brien, Luc
Techniques du hockey en URSS,
Dyotte, Guy

Techniques du ski alpin, Campbell, S.,
Lundberg, M.
Techniques du tennis, Ellwanger
Tennis, Le, Roch, Denis
* **Viens jouer,** Villeneuve, Michel José
Vivre en forêt, Provencher, Paul
Volley-ball, Le, Fédération de volley-ball

**le jour,
éditeur**

ÉSOTÉRISME

Astrologie pratique, L',
   Reinicke, Wolfgang
Grand livre de la cartomancie, Le,
   Von Lentner, G.
Grand livre des horoscopes chinois, Le,
   Lau, Theodora

* Horoscope chinois, Del Sol, Paula
Lu dans les cartes, Jones, Marthy
Synastrie, La, Thornton, Penny
Traité d'astrologie, Hirsig, H.

GUIDES PRATIQUES/JEUX/LOISIRS

* 1,500 prénoms et significations,
   Grisé-Allard, J.

* Backgammon, Lesage, D.

NOTRE TRADITION

* Lettre à un Français qui veut émigrer
   au Québec, Dubuc, Carl

PSYCHOLOGIE/VIE AFFECTIVE ET PROFESSIONNELLE

Adieu, Halpern, Dr Howard
Adieu Tarzan, Franks, Helen
Aimer son prochain comme soi-même,
   Murphy, Dr Joseph
* Anti-stress, L', Eylat, Odette
Apprendre à vivre et à aimer,
   Buscaglia, L.
Art d'engager la conversation et de se
   faire des amis, L', Gabor, Don
Art de convaincre, L', Heinz, Ryborz
* Art d'être égoïste, L', Kirschner, Joseph
Autre femme, L', Sévigny, Hélène
Bains flottants, Les, Hutchison, Michael
Ces hommes qui ne communiquent
   pas, Naifeh S. et White, S.G.
Ces vérités vont changer votre vie,
   Murphy, Dr Joseph
Comment aimer vivre seul,
   Shanon, Lynn
Comment dominer et influencer les
   autres, Gabriel, H.W.
Comment faire l'amour à la même per-
   sonne pour le reste de votre vie!,
   O'Connor, D.
Comment faire l'amour à une femme,
   Morgenstern, M.
Comment faire l'amour à un homme,
   Penney, A.
Comment faire l'amour ensemble,
   Penney, A.

Contacts en or avec votre clientèle,
   Sapin Gold, Carol
Contrôle de soi par la relaxation, Le,
   Marcotte, Claude
Dire oui à l'amour, Buscaglia, Léo
* Famille moderne et son avenir, La,
   Richards, Lyn
Femme de demain, Keeton, K.
Gestalt, La, Polster, Erving
Homme au dessert, Un,
   Friedman, Sonya
Homme nouveau, L',
   Bodymind, Dychtwald Ken
Influence de la couleur, L',
   Wood, Betty
Jeux de nuit, Bruchez, C.
Maigrir sans obsession, Orbach, Susie
Maîtriser son destin, Kirschner, Joseph
Massage en profondeur, Le, Painter, J.,
   Bélair, M.
Mémoire, La, Loftus, Élizabeth
* Mémoire à tout âge, La,
   Dereskey, Ladislaus
Miracle de votre esprit, Le,
   Murphy, Dr Joseph
Négocier entre vaincre et convaincre,
   Warschaw, Dr Tessa
On n'a rien pour rien, Vincent, Raymond
Oracle de votre subconscient, L',
   Murphy, Dr Joseph

PSYCHOLOGIE/VIE AFFECTIVE ET PROFESSIONNELLE

Passion du succès, La, Vincent, R.
Pensée constructive et bon sens, La,
Vincent, Raymond
* Personnalité, La, Buscaglia, Léo
Petit répertoire des excuses, Le,
Charbonneau, C., Caron, N.
Pourquoi remettre à plus tard?,
Burka, Jane B., Yuen, L.M.
Pouvoir de votre cerveau, Le,
Brown, Barbara
Puissance de votre subconscient, La,
Murphy, Dr Joseph
Réfléchissez et devenez riche,
Hill, Napoleon
S'aimer ou le défi des relations
humaines, Buscaglia, Léo

Sexualité expliquée aux adolescents,
La, Boudreau, Y.
Succès par la pensée constructive, Le,
Hill, Napoleon et Stone, W.-C.
Transformez vos faiblesses en force,
Bloomfield, Dr Harold
Triomphez de vous-même et des
autres, Murphy, Dr Joseph
Univers de mon subconscient, L',
Vincent, Raymond
Vaincre la dépression par la volonté et
l'action, Marcotte, Claude
Vieillir en beauté, Oberleder, Muriel
Vivre avec les imperfections de
l'autre, Janda, Dr Louis H.
Vivre c'est vendre, Chaput, Jean-Marc

ROMANS/ESSAIS

* Affrontement, L', Lamoureux, Henri
* C't'a ton tour Laura Cadieux,
Tremblay, Michel
* Cœur de la baleine bleue, Le,
Poulin, Jacques
* Coffret petit jour, Martucci, Abbé Jean
* Contes pour buveurs attardés,
Tremblay, Michel
* De Z à A, Losique, Serge
* Femmes et politique, Cohen, Yolande

* Il est par là le soleil, Carrier, Roch
* Jean-Paul ou les hasards de la vie,
Bellier, Marcel
* Neige et le feu, La, Baillargeon, Pierre
* Objectif camouflé, Porter, Anna
* Oslovik fait la bombe, Oslovik
* Train de Maxwell, Le, Hyde, Christopher
* Vatican -Le trésor de St-Pierre,
Malachi, Martin

SANTÉ

Tao de longue vie, Le,
Soo, Chee

Vaincre l'insomnie, Filion, Michel et
Boisvert, Jean-Marie

SPORT

* Guide des rivières du Québec,
Fédération cano-kayac

* Ski nordique de randonnée,
Brady, Michael

TÉMOIGNAGES

Merci pour mon cancer,
De Villemarie, Michelle

Quinze

COLLECTIFS DE NOUVELLES

* **Aimer,** Beaulieu, V.-L., Berthiaume, A., Carpentier, A., Daviau, D.-M., Major, A., Provencher, M., Proulx, M., Robert, S. et Vonarburg, E.
* **Crever l'écran,** Baillargeon, P., Éthier-Blais, J., Blouin, C.-R., Jacob, S., Jean, M., Laberge, M., Lanctôt, M., Lefebvre, J.-P., Petrowski, N. et Poupart, J.-M.
* **Dix contes et nouvelles fantastiques,** April, J.-P., Barcelo, F., Bélil, M., Belleau, A., Brossard, J., Brulotte, G., Carpentier, A., Major, A., Soucy, J.-Y. et Thériault, M.-J.
* **Dix nouvelles de science-fiction québécoise,** April, J.-P., Barbe, J., Provencher, M., Côté, D., Dion, J., Pettigrew, J., Pelletier, F., Rochon, E., Sernine, D., Sévigny, M. et Vonarburg, E.

* **Dix nouvelles humoristiques,** Audet, N., Barcelo, F., Beaulieu, V.-L., Belleau, A., Carpentier, A., Ferron, M., Harvey, P., Pellerin, G., Poupart, J.-M. et Villemaire, Y.
* **Fuites et poursuites,** Archambault, G., Beauchemin, Y., Bouyoucas, P., Brouillet,C., Carpentier, A., Hébert, F., Jasmin, C., Major, A., Monette, M. et Poupart, J.-M.
* **L'aventure, la mésaventure,** Andrès, B., Beaumier, J.-P., Bergeron, B., Brulotte, G., Gagnon, D., Karch, P., LaRue, M., Monette, M. et Rochon, E.

DIVERS

* **Beauté tragique,** Robertson, Heat
* **Canada — Les débuts héroïques,** Creighton, Donald
* **Défi québécois, Le,** Monnet, François-Marie
* **Difficiles lettres d'amour,** Garneau, Jacques

* **Esprit libre, L',** Powell, Robert
* **Grand branle-bas, Le,** Hébert, Jacques et Strong, Maurice F.
* **Histoire des femmes au Québec, L',** Collectif, CLIO
* **Mémoires de J. E. Bernier, Les,** Therrien, Paul

DIVERS

* **Mythe de Nelligan, Le,** Larose, Jean
* **Nouveau Canada à notre mesure,** Matte, René
* **Papineau,** De Lamirande, Claire
* **Personne ne voudrait savoir,** Schirm, François
* **Philosophe chat, Le,** Savoie, Roger
* **Pour une économie du bon sens,** Bailey, Arthur
* **Québec sans le Canada, Le,** Harbron, John D.

* **Qui a tué Blanche Garneau?,** Bertrand, Réal
* **Réformiste, Le,** Godbout, Jacques
* **Relations du travail,** Centre des dirigeants d'entreprise
* **Sauver le monde,** Sanger, Clyde
* **Silences à voix haute,** Harel, Jean-Pierre

LIVRES DE POCHES 10 /10

* **37 1/2 AA,** Leblanc, Louise
* **Aaron,** Thériault, Yves
* **Agaguk,** Thériault, Yves
* **Blocs erratiques,** Aquin, Hubert
* **Bousille et les justes,** Gélinas, Gratien
* **Chère voisine,** Brouillet, Chrystine
* **Cul-de-sac,** Thériault, Yves
* **Demi-civilisés, Les,** Harvey, Jean-Charles
* **Dernier havre, Le,** Thériault, Yves
* **Double suspect, Le,** Monette, Madeleine

* **Faire sa mort comme faire l'amour,** Turgeon, Pierre
* **Fille laide, La,** Thériault, Yves
* **Fuites et poursuites,** Collectif
* **Première personne, La,** Turgeon, Pierre
* **Scouine, La,** Laberge, Albert
* **Simple soldat, Un,** Dubé, Marcel
* **Souffle de l'Harmattan, Le,** Trudel, Sylvain
* **Tayaout,** Thériault, Yves

LIVRES JEUNESSE

* **Marcus, fils de la louve,** Guay, Michel et Bernier, Jean

MÉMOIRES D'HOMME

* **À diable-vent,** Gauthier Chassé, Hélène
* **Barbes-bleues, Les,** Bergeron, Bertrand
* **C'était la plus jolie des filles,** Deschênes, Donald
* **Bête à sept têtes et autres contes de la Mauricie, La,** Legaré, Clément
* **Contes de bûcherons,** Dupont, Jean-Claude
* **Corbeau du Mont-de-la-Jeunesse, Le,** Desjardins, Philémon et Lamontagne, Gilles

* **Guide raisonné des jurons,** Pichette, Jean
* **Menteries drôles et merveilleuses,** Laforte, Conrad
* **Oiseau de la vérité, L',** Aucoin, Gérard
* **Pierre La Fève et autres contes de la Mauricie,** Legaré, Clément

ROMANS/THÉÂTRE